D1384032

La Chute

La Chute

E 70

ALBERT CAMUS

Edited by

RUTH MULHAUSER
MARJORIE KUPERSMITH
JACQUES LUSSEYRAN

of Western Reserve University

PRENTICE-HALL, INC.   *Englewood Cliffs, New Jersey*

Prentice-Hall International, Inc., *London*
Prentice-Hall of Australia, Pty., Ltd., *Sydney*
Prentice-Hall of Canada, Ltd., *Toronto*
Prentice-Hall of India (Private), Ltd., *New Delhi*
Prentice-Hall of Japan, Inc., *Tokyo*

Printed in the United States of America

C-51685

Preface

This text of Camus' last novel may be used as early as the fourth semester of college French; it has, in fact, proved to be both comprehensible and highly interesting at that early linguistic level. Its subtle and controversial content and exquisite style make it suitable for more advanced levels as well. Since the emphasis in today's modern foreign-language courses is on the acquisition of oral facility, the questions provided may be used as a basis for class discussion in French. Composition subjects have been suggested at the end of each section for practice in idiomatic expression of the written language. Finally, since intermediate students generally find that one of their greatest difficulties is the expansion and enrichment of their French vocabulary, special exercises have been included to focus attention not only on key words of Camus' text, but especially on those words essential for further reading in French literature.

R.M.
M.K.
J.L.

La Chute

Introduction

Qui a écrit *La Chute*?

Lorsque *La Chute* paraît à Paris, au printemps de 1956, Albert Camus n'a encore que quarante-deux ans. Mais, malgré son âge, il est l'un des deux ou trois plus illustres écrivains de son temps. Un an plus tard, l'Académie de Stockholm lui décernera le Prix Nobel de littérature pour l'ensemble de son oeuvre. Ce sera la consécration internationale.

Ainsi *La Chute,* malgré son ton parfois amer et la déception qu'elle révèle en présence de la petitesse des hommes, n'est le livre ni d'un raté ni d'un incompris. Il est capital de le bien voir. C'est celui au contraire d'un homme continuellement favorisé par le succès depuis déjà quatorze ans, depuis la publication en 1942, au milieu même de la seconde guerre mondiale, de *L'Etranger,* mais d'un homme, il faut aussi le dire, que le succès n'a pas un instant grisé et qui est resté capable de se regarder lui-même et de regarder les autres avec la même sévérité.

Avant tout, *La Chute* est le livre d'un homme qu'on écoute, en France et hors de France. Ce n'est pas seulement, en 1956, l'oeuvre la plus récente d'un grand écrivain, mais la parole directe, vivante (sous la forme d'un livre) d'une autorité morale.

Plus qu'un écrivain: un témoin de son temps

La vie même de Camus résume de façon frappante les drames de notre époque.

Albert Camus est né en Algérie en 1913, dans l'Algérie de

«l'ère coloniale.» Il était de père français et de mère espag-nole. Sa famille était pauvre et, s'il parvint à faire des études secondaires et universitaires brillantes, ce fut seulement grâce à sa persévérance et à ses facultés intellectuelles qui lui valu-rent des bourses. Toute sa vie Camus s'est considéré comme Français, mais comme Algérien aussi.

Dès avant 1939, il a vécu le drame de la colonisation et de sa fin inévitable. Il a prévu cette fin avant presque tous les autres, tandis que, à vingt-cinq ans, il était jeune journaliste à Alger. Il a connu cette tension douloureuse d'appartenir à la France par la culture, à l'Algérie par le sol et par les rêves. Pour lui le conflit a éclaté bien avant 1954, bien avant la guerre d'indépendance de l'Algérie. Et ce n'était pas un con-flit local, car il avait lieu vraiment entre le passé et l'avenir de la civilisation occidentale.

La naissance de peuples nouveaux, leur accession à l'auto-nomie politique et à la personnalité, est l'un des faits les plus marquants de cette deuxième moitié du vingtième siècle. Ce fait, Camus ne l'a pas seulement observé; il l'a vécu.

C'est en France qu'il écrit *La Chute*. Pendant ce temps, la guerre fait rage en Algérie. Camus est déchiré par les événe-ments. Nous ne devons pas oublier sa souffrance quand nous lisons son livre. Elle n'y est jamais nommée, mais elle l'accom-pagne dans chacune de ses pages.

C'est enfin une souffrance d'autant plus aiguë que, pour Albert Camus, la justice tout entière n'est ni du côté des Français ni du côté des Algériens. Camus souhaite la récon-ciliation; mais il la sait impossible. Il sait qu'il est trop tard pour elle, et que les hommes sont tous trop coupables.

D'autre part, c'était le 10 mai 1940, le jour même où les armées d'Hitler envahissaient la Hollande, la Belgique, et la France, que Camus avait écrit les dernières lignes de son célèbre roman *L'Etranger*. *L'Etranger* était un roman, ou plutôt une allégorie romanesque, et non un reportage. Pourtant il exprimait, d'une façon très simple et très puissante, la confusion et l'exil moral de tous les Européens en présence d'un monde atteint brusquement de folie destructrice.

Quand, deux ans plus tard, sous «l'Occupation,» le livre est publié, Camus n'est déjà plus à sa table de travail. Il milite dans la Résistance française contre l'oppression nazie; il est membre du mouvement clandestin «Combat.»

On le voit. Les misères de son temps. Camus les a toutes partagées.

Le journaliste insolite

A la fin d'août 1944, au moment de la libération de Paris, Camus est nommé rédacteur en chef du quotidien parisien *Combat,* c'est-à-dire du journal que son mouvement de résistance avait publié secrètement pendant trois années et qui devient alors public. Il va conserver ce poste pendant plus de deux ans.

Il est alors considéré comme l'un des plus brillants parmi les jeunes écrivains de la France. Ses pièces, *Le Malentendu* et *Caligula,* sont jouées avec succès. *L'Etranger* est regardé comme un livre dont le symbolisme est en quelque sorte prophétique. En 1947, *La Peste* est accueillie comme la première, et la plus convaincante, chronique morale des événements qui viennent de mutiler le monde. Vers 1945, cependant, ce n'est pas l'écrivain en Camus qu'on connaît le mieux ni qu'on admire le plus; c'est le journaliste—un journaliste différent de tous les autres.

Il est différent d'abord parce qu'il est sans parti. Il est vrai que ses opinions politiques sont «de gauche,» et il ne s'en cache pas. Mais il n'a engagé sa fidélité dans aucun groupe: ni chez les Communistes, ni chez les Socialistes, ni chez les gens au pouvoir—quels qu'ils soient.

Ce qui est plus étonnant encore, cet homme sans parti ne s'est pas placé au-dessus de la mêlée. Pas de tour d'ivoire, pas d'isolement hautain. Il est dans l'actualité, corps et âme. Ses éditoriaux de *Combat* traitent de tous les problèmes du jour, pourvu que ceux-ci soient graves.

Mais ils le font de façon étrange, en quelque sorte intemporelle. Ce qui préoccupe Camus, ce sont les grands dilemmes moraux de son époque, et non les décisions politiques d'un instant.

Rarement, en tous cas, journaliste avait été plus respecté que lui. A trente-deux ans, Camus était une figure morale, un homme qui disait publiquement ce qu'il pensait, quelles qu'en puissent être les conséquences, un porte-parole de sa génération, un conseiller. Il tenait ainsi une position véritablement unique.

Des dizaines de milliers de Français tenaient compte de ses jugements, parce qu'ils savaient qu'il n'était pas un privilégié de la fortune, qu'il ne s'était mis à l'écart d'aucun sacrifice, qu'il n'avait aucune ambition de puissance, et que ses inquiétudes étaient les leurs.

Camus n'était pas un homme excessif. Il n'était pas non plus un personnage bizarre. Il partageait la condition de tous. De là son très grand pouvoir sur le public. Ce qu'il y avait d'exceptionnel chez lui, c'était la lucidité, le courage, et l'art de dire.

DE L'ABSURDITÉ À LA RESPONSABILITÉ

Sans parti, Camus était aussi sans doctrine. Il n'avait aucun système métaphysique, aucun dogme moral à imposer à ses lecteurs. Pour lui, les vérités toutes faites n'étaient pas seulement des vérités partielles, mais des illusions dangereuses.

Camus prenait des décisions (il n'était pas un rêveur), mais des décisions toujours provisoires. Il cherchait. Chacune de ses oeuvres est une étape de sa recherche. *La Chute* elle-même n'est que l'une de ses étapes, l'une des dernières avant sa mort prématurée en 1960.

Le seul point fixe qu'on puisse reconnaître dans sa pensée, c'est sa non croyance en Dieu. Nous pourrions dire bien sûr son «athéisme.» Mais le mot «athéisme» a des résonnances agressives qui risqueraient de défigurer la pensée de Camus. Camus n'a jamais contesté l'existence de Dieu. Il ne s'est jamais battu à ce sujet, ni contre lui-même ni contre les autres. Simplement pour lui il existait une seule réalité: ce monde-ci, le «champ du possible,» c'est-à-dire la terre et les hommes. Mais, à l'égard de ce monde, son attitude a considérablement évolué de *Caligula* en 1938 à *L'Exil et le royaume* en 1957.

Au commencement, jusque vers 1942, dans *Caligula, L'Etranger,* et le *Mythe de Sisyphe,* ce qui domine chez lui, c'est le «sentiment de l'absurde.»

Camus voit clairement d'un côté les désirs de l'homme, son besoin de raison et, de l'autre, le monde tel qu'il est, tel qu'il s'impose à lui. Et le «monde» veut dire ici non seulement la nature, mais également la société.

Entre ces deux univers pour lui le lien est rompu. Ils sont en état de «divorce.» Pour Camus il n'y a pas de Révélation. Et son incroyance n'est plus une anomalie de nos jours. Elle est partagée par un nombre croissant d'individus. Il n'y a pas de «dieu» qui puisse établir une harmonie entre la conscience de l'homme et le reste des choses. Quant à l'homme, il semble jusqu'ici incapable de l'établir lui-même. D'où ce «sentiment d'absurdité,» ce sentiment d'être en partie étranger au monde dans lequel on vit que le personnage de Meursault dans *L'Etranger* incarne si pathétiquement.

Il faut rappeler en outre que cette attitude se développe chez Camus à la veille de la seconde guerre mondiale et pendant cette guerre, c'est-à-dire à une époque où les événements de chaque jour paraissaient la justifier. Comment apercevoir en effet une harmonie quelconque entre les bombardements de villes ouvertes, le massacre scientifiquement conduit de peuples entiers, les tortures policières, les camps de concentration humaine?

Pourtant «l'absurde» ne fut qu'une première étape dans la pensée de Camus, et la plus négative. Vint ensuite la révolte contre la condition absurde de l'homme, et la décision de tout faire pour créer un monde viable, où les hommes ne tueraient plus et pourraient être heureux.

Au personnage de Meursault de *L'Etranger* succède alors le personnage du Docteur Rieux dans *La Peste*. Rieux n'est plus «étranger» au monde des hommes. Il sait au contraire qu'il est lié à tous, semblable à tous. Il respecte la vie dans ses frères humains. Et, en face de l'épidémie qui menace de mort ses concitoyens, il ne songe qu'à les soigner.

La Peste contenait une affirmation capitale sous un symbolisme transparent: les guerres, et toutes les formes du fanatisme et de la haine, ne sont pas le fait de quelques hommes seulement mais de tous les hommes ensemble. «Nous sommes tous des pestiférés.» Nous sommes individuellement responsables de toutes les misères de l'humanité. A partir de 1947, Camus n'a plus fait qu'exprimer cette conviction, car il voyait dans cette conscience de notre culpabilité notre seule chance de salut collectif.

Il a poursuivi cette tâche avec obstination et habileté dans des pièces telles que *L'Etat de siège* (1948), *Les Justes* (1949), dans un essai philosophique «L'Homme révolté» (1951), et plus que jamais dans *La Chute,* avant de publier en 1957, dans *L'Exil et le royaume,* deux nouvelles qui semblent bien représenter le point extrême de sa réflexion: «L'Hôte» et «La Pierre qui pousse.» La lecture de «La Pierre qui pousse» en particulier est un complément non seulement utile mais indispensable de la lecture de *La Chute*.

Au cours de ces dix années, 1947-1957, tout l'effort de Camus a donc consisté à reconstruire lentement, modestement, et sans l'aide d'aucun principe supérieur à ce monde, des valeurs dont les hommes puissent se servir pour rendre tolérable et significative leur existence. Parmi ces valeurs, on trouve d'abord le sentiment de la culpabilité, le désir de la justice et le courage. Ce retour de l'humanisme traditionnel dans la pensée de Camus lui a valu des ennemis, parmi lesquels Jean-Paul Sartre. C'est en revanche ce qui donne à Camus aujourd'hui la plupart de ses lecteurs. C'est ce qui fait de lui un guide moral pour beaucoup d'entre eux.

Il est remarquable en tous cas que l'évolution intellectuelle de Camus se soit faite de la solitude à la solidarité, de la méfiance envers les hommes à la confiance dans les hommes.

Certes cette confiance reste jusqu'au bout difficile et incomplète. Elle reste sévère. *La Chute* nous le montrera. Elle est là pourtant, et elle marque la direction essentielle de l'oeuvre.

Enfin l'homme qui publie *La Chute* en 1956 est à quatre ans de sa mort accidentelle. Albert Camus n'a donc pas terminé son oeuvre, et nous ne pouvons faire que des suppositions, du reste inutiles, sur la conclusion qu'il lui aurait donnée. Surtout nous ne devons jamais oublier que, pour un esprit aussi vivant que le sien, chaque livre était un passage, pas une série d'affirmations définitives mais d'interrogations toujours renouvelées.

Comment l'homme doit-il faire pour vivre? Telle est la seule question qu'on retrouve identique de *Caligula* à *La Chute*. Camus la pose avec autant d'ardeur, et une intensité égale dans ce livre de sa maturité qu'il l'avait fait dix-huit ans plus tôt dans sa pièce de jeunesse. Et c'est pourquoi *La*

Chute mérite d'être lue avec une attention à la fois calme et passionnée.

1° Certains commentateurs ont vu dans *La Chute* un récit autobiographique. Ils se sont trompés. Camus lui-même a plusieurs fois déclaré qu'il n'en était rien. De plus, il suffit d'un peu d'attention pour voir que le héros du livre, Jean-Baptiste Clamence, est un personnage inventé, composé. En vrai romancier, Camus a utilisé, de-ci de-là dans son récit, des expériences qu'il avait faites personnellement. Mais *La Chute* est une oeuvre d'art et de réflexion; ce n'est pas un journal intime. Ajoutons que Camus, dans sa vie même, n'a jamais été frivole comme Clamence au début de la sienne, ni pénitent comme lui à la fin.

2° *La Chute* n'est pas un texte didactique. Ce n'est pas non plus un texte dogmatique. C'est un livre «ironique,» au sens fondamental du mot, c'est-à-dire où l'auteur s'interroge —et nous interroge—sur la valeur de la vie et sur les mobiles de la conduite humaine.

Il faut se garder de lire *La Chute* en y cherchant des réponses définitives à nos inquiétudes. Le livre terminé, nos inquiétudes seront au contraire plus vives que jamais, mais nous serons aussi bien plus lucides à leur égard.

Laissons Camus réveiller notre conscience. Surtout ne simplifions pas trop sa pensée. S'il arrive à sa pensée d'être incertaine parfois, c'est qu'elle est vivante, c'est qu'elle est la pensée d'un homme qui cherche.

Camus est le plus récent en date de ces écrivains qu'on appelle en France, traditionnellement, des «moralistes.» Parmi ses illustres ancêtres on trouve des hommes tels que Montaigne, Pascal, La Rochefoucauld, ou La Bruyère. Or un

moraliste ne s'occupe pas de «faire la morale» à ses lecteurs.
Il n'a pas non plus le projet de décrire les hommes tels qu'ils
sont en un certain lieu et en un certain temps—les hommes
particuliers. Ce qui l'intéresse, c'est la conduite humaine en
général: ses ressorts, ses virtualités, ses limites. Il fait de
l'homme son étude, et de l'homme seul. Un moraliste est
donc un psychologue, mais ce n'est pas un technicien de la
psychologie. Il ne se contente pas d'observer; il juge.

3° *La Chute* tout entière se présente comme un dialogue,
mais de forme étrange, car nous n'y entendons jamais que
l'un des deux interlocuteurs: Jean-Baptiste Clamence.
Toutefois il est important d'imaginer, de page en page, les
réponses de l'interlocuteur muet, peut-être même de les
formuler dans son esprit. Il est également capital de se
demander qui il est: un avocat français? un confrère de
Clamence? ou bien même un double de lui—Clamence dans
un miroir? ou bien finalement chacun de nous (oui, quel que
nous soyons), chacun des lecteurs? Camus veut que nous
nous posions de telles questions.

4° *La Peste* était un récit symbolique. *La Chute* n'en est
pas un. Pas vraiment. Il est certain toutefois que la Hollande
—ses canaux et ses brumes—est plus un décor moral qu'un
décor physique. Amsterdam représente ici les «limbes»—
Camus nous le dit lui-même—c'est-à-dire ce vestibule de l'enfer selon Dante. Mais Amsterdam représente également toutes
les villes du monde d'aujourd'hui. Nous vivons tous dans les
limbes, ce qui veut dire que nous n'avons pas encore appris à
vivre. «Nous ne sommes qu'à peu près en toutes choses.»
Comme Clamence, chacun de nous pourrait parler de «tous
ces livres à peine lus, ces amis à peine aimés, ces villes à
peine visitées, ces femmes à peine prises.» Si le décor de *La
Chute* est continuellement gris et trouble, c'est que l'existence humaine elle-même n'est pas claire.

Enfin l'action du livre se déroule presque uniquement dans

des lieux publics dont ce bar louche des premières pages, le Mexico-City, n'est qu'un premier exemple. C'est là un fait significatif: il fallait à Camus des lieux médiocres, des lieux où se croisent des gens de toutes sortes, des points de grande accumulation humaine. Clamence s'est «réfugié dans un désert de pierres, de brumes, et d'eaux pourries.» On reconnaît là l'image négative de notre civilisation.

5°   En apparence l'histoire de Jean-Baptiste Clamence est celle d'un échec. Avant que nous ne le rencontrions, avant sa «chute,» Clamence exerçait avec succès, à Paris, la profession d'avocat. C'était «un homme dans la force de l'âge, de parfaite santé, généreusement doué, habile dans les exercices du corps comme dans ceux de l'intelligence, ni riche ni pauvre, dormant bien, et profondément content de lui-même sans le montrer autrement que par une sociabilité heureuse.» Au contraire, quand nous le rencontrons à Amsterdam, dès le début du livre, il a abandonné sa profession, il s'est exilé, il est inquiet et parfois cynique, il est souvent malade, il se définit lui-même comme un «prophète vide pour temps médiocres.»

Toutefois l'apparence est ici trompeuse. Selon le monde, Clamence a échoué; mais il a réussi selon sa conscience. Réellement toute sa confession est celle d'un homme chez qui la conscience morale s'est enfin éveillée.

6°   Cet éveil de la conscience se fait en plusieurs étapes:

A. Clamence découvre que cette adaptation facile à la vie professionnelle et à la vie sociale fait de lui un personnage brillant mais vide—une sorte de marionnette supérieure.

B. Il s'aperçoit que sa bonne conscience et sa noblesse de caractère sont illusoires, et qu'il est animé par les mêmes mauvais instincts qui font agir tous les autres. «Je découvrais en moi de doux rêves d'oppression,» nous dit-il. Ainsi tous les hommes partagent le même sort. Il n'y a pas d'un côté les juges, et de l'autre les coupables. Personne n'est innocent, et lui-même ne l'est pas.

C. Aussitôt, sa solitude orgueilleuse—son sentiment de supériorité—est brisée net. C'est alors qu'intervient l'épisode du «rire.» Mais il est important de voir que ce rire n'est pas un événement extérieur; il a lieu dans la conscience même de Clamence. Il est le signe concret de la présence de tous les autres hommes, de leur regard posé sur lui.

D. Enfin dernier épisode: celui du suicide. Quelqu'un s'est jeté dans la Seine du haut d'un pont. Clamence n'a pas provoqué cet accident, mais il ne l'a pas empêché non plus. Il n'a pas été au secours de la victime. C'était, nous dit-il, «trop loin, trop tard.» Toutefois Clamence ne peut plus oublier cet événement. C'est une hantise pour lui. Aurait-il pu, s'il l'avait réellement voulu, sauver une vie? Peut-être non, mais peut-être oui. Désormais en tous cas, l'absolue solidarité de toutes les vies humaines (de tous les mérites comme de toutes les fautes) est pour lui une évidence.

7° La conscience morale de Clamence est maintenant inconfortable (il vit dans le «malconfort») mais elle est éveillée. Il a compris que chaque homme était responsable de tout ce qui se passait dans le monde, près de lui et loin de lui. Il sait que les privilèges des hommes, leurs droits, leur innocence (ou ce qu'ils appellent ainsi) sont des mensonges. Il décide de devenir le témoin de cette vérité difficile et de l'annoncer à tous. Pourtant il n'est pas désespéré, pas tout à fait. «Nous ne pouvons affirmer l'innocence de personne,» dit-il, «tandis que nous pouvons affirmer à coup sûr la culpabilité de tous. Chaque homme témoigne du crime de tous les autres: voilà ma foi, et mon espérance.» Ainsi Clamence se fait pénitent, puisqu'il reconnaît sa part de responsabilité dans les malheurs communs. Mais il reste juge en même temps. Car, pour lui qui ne croit pas en Dieu, seuls les hommes peuvent juger les hommes. Il se nomme lui-même: juge-pénitent.

8° *La Chute* n'est pas un livre religieux. Il faut le dire, car son titre, inspiré de la Bible, pourrait induire en erreur. «Dieu n'est pas nécessaire pour créer la culpabilité ni punir,» nous dit Clamence. «Nos semblables y suffisent, aidés par nous-mêmes. Vous me parliez du Jugement Dernier. Permettez-moi d'en rire respectueusement. Je l'attends de pied ferme. J'ai ce qu'il y a de pire: le jugement des hommes. Pour eux pas de circonstances atténuantes, même la bonne intention est imputée à crime.» Et un peu plus loin «Je vais vous dire un grand secret, mon cher. N'attendez pas le jugement dernier: il a lieu tous les jours.» Pour Clamence, comme pour Camus, il n'existe qu'un monde: celui des hommes, et qu'une justice: la justice des hommes. C'est à cette croyance que *La Chute* doit sa conclusion pathétique.

9° *La Chute* doit être lue, et relue, lentement. C'est un texte d'une admirable concision, et qui contient des vues sur l'homme parfois contestables mais toujours riches.

Comment épuiser par exemple dans une première lecture le sens de phrases comme celle-ci: «Quand on n'a pas de caractère, il faut bien se donner une méthode.» Ou comme ces quelques autres: «Il s'ennuyait, voilà tout. Il s'ennuyait comme la plupart des gens. Il s'était donc créé de toutes pièces une vie de complications et de drames. Il faut que quelque chose arrive. Voilà l'explication de la plupart des engagements humains. Il faut que quelque chose arrive, même la servitude sans amour, même la guerre, ou la mort.» Ce ne sont pas là des réflexions banales, des réflexions hâtives, mais celles d'un grand écrivain et d'un grand penseur.

I

Puis-je, Monsieur, vous proposer mes services, sans risquer d'être importun? Je crains que vous ne sachiez vous faire entendre de l'estimable gorille qui préside aux destinées de cet établissement. Il ne parle, en effet, que le hollandais. A moins que vous ne m'autorisiez à plaider votre cause, il ne devinera pas que vous désirez du genièvre.[1] Voilà, j'ose espérer qu'il m'a compris; ce hochement de tête doit signifier qu'il se rend à mes arguments. Il y va, en effet, il se hâte, avec une sage lenteur. Vous avez de la chance, il n'a pas grogné. Quand il refuse de servir, un grognement lui suffit: personne n'insiste. Etre roi de ses humeurs, c'est la privilège des grands animaux. Mais je me retire, Monsieur, heureux

[1] **Genièvre** *s.m.* liqueur alcoolique, équivalent du «gin» anglo-saxon.

de vous avoir obligé. Je vous remercie et j'accepterais si j'étais
sûr de ne pas jouer les fâcheux. Vous êtes trop bon. J'instal-
lerai donc mon verre auprès du vôtre.

Vous avez raison, son mutisme est assourdissant. C'est le
5 silence des forêts primitives, chargé jusqu'à la gueule. Je
m'étonne parfois de l'obstination que met notre taciturne
ami à bouder les langues civilisées. Son métier consiste à recevoir des marins de toutes les nationalités dans ce bar d'Amsterdam qu'il a appelé d'ailleurs, on ne sait pourquoi, *Mexico-*
10 *City.* Avec de tels devoirs, on peut craindre, ne pensez-vous
pas, que son ignorance soit inconfortable? Imaginez l'homme
de Cro-Magnon[2] pensionnaire à la tour de Babel![3] Il y souf-
frirait de dépaysement, au moins. Mais non, celui-ci ne sent
pas son exil, il va son chemin, rien ne l'entame. Une des rares
15 phrases que j'aie entendues de sa bouche proclamait que
c'était à prendre ou à laisser. Que fallait-il prendre ou laisser?
Sans doute, notre ami lui-même. Je vous l'avouerai, je suis
attiré par ces créatures tout d'une pièce. Quand on a beaucoup médité sur l'homme, par métier ou par vocation, il
20 arrive qu'on éprouve de la nostalgie pour les primates. Ils
n'ont pas, eux, d'arrière-pensées.

Notre hôte, à vrai dire, en a quelques-unes, bien qu'il les
nourrisse obscurément. A force de ne pas comprendre ce
qu'on dit en sa présence, il a pris un caractère défiant. De
25 là cet air de gravité ombrageuse, comme s'il avait le soupçon,
au moins, que quelque chose ne tourne pas rond entre les
hommes. Cette disposition rend moins faciles les discussions
qui ne concernent pas son métier. Voyez, par exemple, au-

---

[2] **Cro-Magnon** localité de la Dordogne, lieu pré-historique important
qui a donné son nom à l'une des plus anciennes races humaines de
l'Europe occidentale.
[3] **Tour de Babel** d'après la Bible, les fils de Noé voulurent élever cette
tour pour atteindre le ciel. Dieu aurait anéanti par la confusion des
langues ces efforts insensés. De là vient que Tour de Babel est synonyme
de «confusion.»

dessus de sa tête, sur le mur du fond, ce rectangle vide qui
marque la place d'un tableau décroché. Il y avait là, en effet,
un tableau, et particulièrement intéressant, un vrai chef-
d'oeuvre. Eh bien, j'étais présent quand le maître de céans
l'a reçu et quand il l'a cédé. Dans les deux cas, ce fut avec la   5
même méfiance, après des semaines de rumination. Sur ce
point, la société a gâté un peu, il faut le reconnaître, la
franche simplicité de sa nature.

Notez bien que je ne le juge pas. J'estime sa méfiance
fondée et la partagerais volontiers si, comme vous le voyez,   10
ma nature communicative ne s'y opposait. Je suis bavard,
hélas! et me lie facilement. Bien que je sache garder les dis-
tances qui conviennent, toutes les occasions me sont bonnes.
Quand je vivais en France, je ne pouvais rencontrer un
homme d'esprit sans qu'aussitôt j'en fisse ma société. Ah! je   15
vois que vous bronchez sur cet imparfait du subjonctif.
J'avoue ma faiblesse pour ce mode, et pour le beau langage, en général. Faiblesse que je me reproche, croyez-le. Je
sais bien que le goût du linge fin ne suppose pas forcément
qu'on ait les pieds sales. N'empêche. Le style, comme la   20
popeline, dissimule trop souvent de l'eczéma. Je m'en con-
sole en me disant qu'après tout, ceux qui bafouillent, non
plus, ne sont pas purs. Mais oui, reprenons du genièvre.

Ferez-vous un long séjour à Amsterdam? Belle ville, n'est-ce
pas? Fascinante? Voilà un adjectif que je n'ai pas entendu   25
depuis longtemps. Depuis que j'ai quitté Paris, justement, il
y a des années de cela. Mais le coeur a sa mémoire et je n'ai
rien oublié de notre belle capitale, ni de ses quais. Paris est
un vrai trompe-l'oeil, un superbe décor habité par quatre
millions de silhouettes. Près de cinq millions, au dernier re-   30
censement? Allons, ils auront fait des petits. Je ne m'en éton-
nerai pas. Il m'a toujours semblé que nos concitoyens avaient
deux fureurs: les idées et la fornication. A tort et à travers,
pour ainsi dire. Gardons-nous, d'ailleurs, de les condamner;

ils ne sont pas les seuls, toute l'Europe en est là. Je rêve
parfois de ce que diront de nous les historiens futurs. Une
phrase leur suffira pour l'homme moderne: il forniquait et
lisait des journaux. Après cette forte définition, le sujet sera,
5   si j'ose dire, épuisé.

Les Hollandais, oh non, ils sont beaucoup moins modernes!
Ils ont le temps, regardez-les. Que font-ils? Eh bien, ces mes-
sieurs-ci vivent du travail de ces dames-là. Ce sont d'ailleurs,
mâles et femelles, de fort bourgeoises créatures, venues ici,
10 comme d'habitude, par mythomanie ou par bêtise. Par excès
ou par manque d'imagination, en somme. De temps en temps,
ces messieurs jouent du couteau ou du revolver, mais ne
croyez pas qu'ils y tiennent. Le rôle l'exige, voilà tout, et ils
meurent de peur en lâchant leurs dernières cartouches. Ceci
15 dit, je les trouve plus moraux que les autres, ceux qui tuent
en famille, à l'usure. N'avez-vous pas remarqué que notre
société s'est organisée pour ce genre de liquidation? Vous
avez entendu parler, naturellement, de ces minuscules poissons des rivières brésiliennes[4] qui s'attaquent par milliers au
20 nageur imprudent, le nettoient, en quelques instants, à petites bouchées rapides, et n'en laissent qu'un squelette immaculé? Eh bien, c'est ça, leur organisation. «Voulez-vous
d'une vie propre? Comme tout le monde?» Vous dites oui,
naturellement. Comment dire non? «D'accord. On va vous
25 nettoyer. Voilà un métier, une famille, des loisirs organisés.»
Et les petites dents s'attaquent à la chair, jusqu'aux os. Mais
je suis injuste. Ce n'est pas leur organisation qu'il faut dire.
Elle est la nôtre, après tout: c'est à qui nettoiera l'autre.

On nous apporte enfin notre genièvre. A votre prospérité.
30 Oui, le gorille a ouvert la bouche pour m'appeler docteur.
Dans ces pays, tout le monde est docteur, ou professeur. Ils
aiment à respecter, par bonté, et par modestie. Chez eux, du

---

[4] **Minuscules poissons des rivières brésiliennes** le piranha ou piraya.

moins, la méchanceté n'est pas une institution nationale. Au
demeurant, je ne suis pas médecin. Si vous voulez le savoir,
j'étais avocat avant de venir ici. Maintenant, je suis juge-
pénitent.[5]

Mais permettez-moi de me présenter: Jean-Baptiste Cla-   5
mence, pour vous servir. Heureux de vous connaître. Vous
êtes sans doute dans les affaires? A peu près? Excellente réponse! Judicieuse aussi; nous ne sommes qu'à peu près en
toutes choses. Voyons, permettez-moi de jouer au détective.
Vous avez à peu près mon âge, l'oeil renseigné des quadragé-   10
naires qui ont à peu près fait le tour des choses, vous êtes à
peu près bien habillé, c'est-à-dire comme on l'est chez nous,
et vous avez les mains lisses. Donc, un bourgeois, à peu près!
Mais un bourgeois raffiné! Broncher sur les imparfaits du
subjonctif, en effet, prouve deux fois votre culture puisque   15
vous les reconnaissez d'abord et qu'ils vous agacent ensuite.
Enfin, je vous amuse, ce qui, sans vanité, suppose chez vous
une certaine ouverture d'esprit. Vous êtes donc à peu près...
Mais qu'importe? Les professions m'intéressent moins que
les sectes. Permettez-moi de vous poser deux questions et n'y   20
répondez que si vous ne les jugez pas indiscrètes. Possédez-
vous des richesses? Quelques-unes? Bon. Les avez-vous partagées avec les pauvres? Non. Vous êtes donc ce que j'appelle
un saducéen.[6] Si vous n'avez pas pratiqué les Ecritures, je
reconnais que vous n'en serez pas plus avancé. Cela vous   25
avance? Vous connaissez donc les Ecritures? Décidément, vous
m'intéressez.

Quant à moi... Eh bien, jugez vous-même. Par la taille, les
épaules, et ce visage dont on m'a souvent dit qu'il était fa-

---

[5] **Juge-pénitent** mot-clef du livre, inventé sous cette forme par Camus:
juge (subst.) magistrat chargé de rendre la justice; pénitent (subst.) celui
qui confesse ses péchés.
[6] **Saducéen** membre d'une secte juive opposée aux pharisiens et qui se
recrutait principalement parmi les riches.

rouche, j'aurais plutôt l'air d'un joueur de rugby, n'est-ce
pas? Mais si l'on en juge par la conversation, il faut me con-
sentir un peu de raffinement. Le chameau qui a fourni le
poil de mon pardessus souffrait sans doute de la gale; en
5   revanche, j'ai les ongles faits. Je suis renseigné, moi aussi, et
pourtant, je me confie à vous, sans précautions, sur votre
seule mine. Enfin, malgré mes bonnes manières et mon beau
langage, je suis un habitué des bars à matelots du Zeedijk.
Allons, ne cherchez plus. Mon métier est double, voilà tout,
10   comme la créature. Je vous l'ai déjà dit, je suis juge-pénitent.
Une seule chose est simple dans mon cas, je ne possède rien.
Oui, j'ai été riche, non, je n'ai rien partagé avec les autres.
Qu'est-ce que cela prouve? Que j'étais aussi un saducéen...
Oh! entendez-vous les sirènes du port? Il y aura du brouillard
15   cette nuit, sur le Zuyderzee.[7]

Vous partez déjà? Pardonnez-moi de vous avoir peut-être
retenu. Avec votre permission, vous ne paierez pas. Vous êtes
chez moi à *Mexico-City,* j'ai été particulièrement heureux de
vous y accueillir. Je serai certainement ici demain, comme
20   les autres soirs, et j'accepterai avec reconnaissance votre invitation. Votre chemin... Eh bien... Mais verriez-vous un inconvénient, ce serait le plus simple, à ce que je vous accom-
pagne jusqu'au port? De là, en contournant le quartier juif,
vous trouverez ces belles avenues où défilent des tramways
25   chargés de fleurs et de musiques tonitruantes. Votre hôtel est
sur l'une d'elles, le Damrak.[8] Après vous, je vous en prie.
Moi, j'habite le quartier juif, ou ce qui s'appelait ainsi jusqu'au moment où nos frères hitlériens y ont fait de la place.
Quel lessivage! Soixante-quinze mille juifs déportés ou assas-
30   sinés, c'est le nettoyage par le vide. J'admire cette application,

---

[7] **Zuyderzee** ancien golfe des Pays-Bas. Depuis 1932 un barrage l'a fermé
au nord séparant un golfe extérieur, le Waddensee, d'un lac intérieur,
l'Ijn—mer sur laquelle seront reconquis des polders.
[8] **Damrak** grande rue d'Amsterdam où se trouve l'Hôtel Damrak.

cette méthodique patience! Quand on n'a pas de caractère, il
faut bien se donner une méthode. Ici, elle a fait merveille, sans
contredit, et j'habite sur les lieux d'un des plus grands crimes
de l'histoire. Peut-être est-ce cela qui m'aide à comprendre
le gorille et sa méfiance. Je peux lutter ainsi contre cette   5
pente de nature qui me porte irrésistiblement à la sympathie.
Quand je vois une tête nouvelle, quelqu'un en moi sonne
l'alarme. «Ralentissez. Danger!» Même quand la sympathie
est la plus forte, je suis sur mes gardes.

Savez-vous que dans mon petit village, au cours d'une ac-   10
tion de représailles, un officier allemand a courtoisement prié
une vieille femme de bien vouloir choisir celui de ses deux
fils qui serait fusillé comme otage? Choisir, imaginez-vous
cela? Celui-là? Non, celui-ci. Et le voir partir. N'insistons pas,
mais croyez-moi, monsieur, toutes les surprises sont possibles.   15
J'ai connu un coeur pur qui refusait la méfiance. Il était pacifiste, libertaire, il aimait d'un seul amour l'humanité entière
et les bêtes. Une âme d'élite, oui, cela est sûr. Eh bien, pendant les dernières guerres de religion, en Europe, il s'était
retiré à la campagne. Il avait écrit sur le seuil de sa maison: 20
«D'où que vous veniez, entrez et soyez les bienvenus.» Qui,
selon vous, répondit à cette belle invitation? Des miliciens,
qui entrèrent comme chez eux et l'étripèrent.

Oh! pardon, madame! Elle n'a d'ailleurs rien compris.
Tout ce monde, hein, si tard, et malgré la pluie, qui n'a pas   25
cessé depuis des jours! Heureusement, il y a le genièvre, la
seule lueur dans ces ténèbres. Sentez-vous la lumière dorée,
cuivrée, qu'il met en vous? J'aime marcher à travers la ville,
le soir, dans la chaleur du genièvre. Je marche des nuits durant, je rêve, ou je me parle interminablement. Comme ce   30
soir, oui, et je crains de vous étourdir un peu, merci, vous
êtes courtois. Mais c'est le trop-plein; dès que j'ouvre la
bouche, les phrases coulent. Ce pays m'inspire, d'ailleurs.
J'aime ce peuple, grouillant sur les trottoirs, coincé dans un

petit espace de maisons et d'eaux, cerné par des brumes, des
terres froides, et la mer fumante comme une lessive. Je l'aime,
car il est double. Il est ici et il est ailleurs.

Mais oui! A écouter leurs pas lourds, sur le pavé gras, à les
voir passer pesamment entre leurs boutiques, pleines de ha-
rengs dorés et de bijoux couleur de feuilles mortes, vous
croyez sans doute qu'ils sont là, ce soir? Vous êtes comme
tout le monde, vous prenez ces braves gens pour une tribu
de syndics et de marchands, comptant leurs écus avec leurs
chances de vie éternelle, et dont le seul lyrisme consiste à
prendre parfois, couverts de larges chapeaux, des leçons
d'anatomie?[9] Vous vous trompez. Ils marchent près de nous,
il est vrai, et pourtant, voyez où se trouvent leurs têtes: dans
cette brume de néon, de genièvre et de menthe qui descend
des enseignes rouges et vertes. La Hollande est un songe,
monsieur, un songe d'or et de fumée, plus fumeux le jour,
plus doré la nuit, et nuit et jour ce songe est peuplé de Lohengrin[10] comme ceux-ci, filant rêveusement sur leurs noires
bicyclettes à hauts guidons, cygnes funèbres qui tournent sans
trêve, dans tout le pays, autour des mers, le long des canaux.
Ils rêvent, la tête dans leurs nuées cuivrées, ils roulent en
rond, ils prient, somnambules, dans l'encens doré de la
brume, ils ne sont plus là. Ils sont partis à des milliers de
kilomètres, vers Java, l'île lointaine. Ils prient ces dieux gri-
maçants de l'Indonésie dont ils ont garni toutes leurs vitrines,
et qui errent en ce moment au-dessus de nous, avant de s'accrocher, comme des singes somptueux, aux enseignes et aux
toits en escaliers, pour rappeler à ces colons nostalgiques que
la Hollande n'est pas seulement l'Europe des marchands,

[9] **Leçons d'anatomie?** allusion à la célèbre peinture de Rembrandt «La
Leçon d'anatomie.»
[10] **Lohengrin** poème allemand du Moyen Age attribué à Wolfram von
Eschenbach. Episode du cycle du Graal mêlé aux légendes concernant le
chevalier au Cygne.

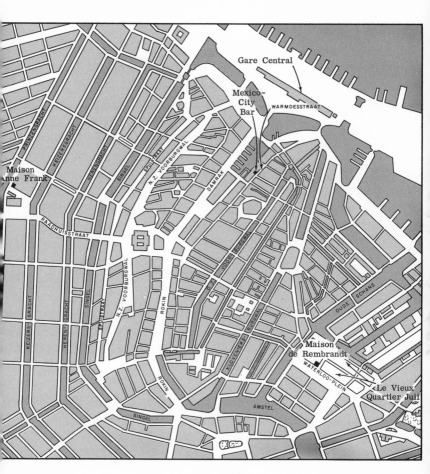

PLAN D'AMSTERDAM.

mais la mer, la mer qui mène à Cipango,[11] et à ces îles où
les hommes meurent fous et heureux.

Mais je me laisse aller, je plaide! Pardonnez-moi. L'habitude, monsieur, la vocation, le désir aussi où je suis de bien
5   vous faire comprendre cette ville, et le coeur des choses! Car
nous sommes au coeur des choses. Avez-vous remarqué que
les canaux concentriques[12] d'Amsterdam ressemblent aux
cercles de l'enfer? L'enfer bourgeois, naturellement peuplé
de mauvais rêves. Quand on arrive de l'extérieur, à mesure
10 qu'on passe ces cercles, la vie, et donc ses crimes, devient plus
épaisse, plus obscure. Ici, nous sommes dans le dernier cercle.
Le cercle des... Ah! Vous savez cela? Diable, vous devenez plus
difficile à classer. Mais vous comprenez alors pourquoi je puis
dire que le centre des choses est ici, bien que nous nous
15 trouvions à l'extrémité du continent. Un homme sensible
comprend ces bizarreries. En tout cas, les lecteurs de journaux et les fornicateurs ne peuvent aller plus loin. Ils viennent de tous les coins de l'Europe et s'arrêtent autour de la
mer intérieure, sur la grève décolorée. Ils écoutent les sirènes,
20 cherchent en vain la silhouette des bateaux dans la brume,
puis repassent les canaux et s'en retournent à travers la pluie.
Transis, ils viennent demander, en toutes langues, du genièvre à *Mexico-City*. Là, je les attends.

A demain donc, monsieur et cher compatriote. Non, vous
25 trouverez maintenant votre chemin; je vous quitte près de ce
pont. Je ne passe jamais sur un pont, la nuit. C'est la conséquence d'un voeu. Supposez, après tout, que quelqu'un se
jette à l'eau. De deux choses l'une, ou vous l'y suivez pour le

---

[11] **Cipango** nom donné au Japon à la fin du Moyen Age. Est devenu
frêquemment synonyme de tout pays merveilleux et mal connu.
[12] **Canaux concentriques** allusion à Dante dans *La Divine Comédie* où
le neuvième et dernier cercle de l'enfer, le ghetto, est réservé à ceux
qui ont trahi les bienfaiteurs du monde, par exemple: Lucifer qui a
trahi Dieu. Voir aussi p. 20.

repêcher et, dans la saison froide, vous risquez le pire! Ou vous l'y abandonnez et les plongeons rentrés laissent parfois d'étranges courbatures. Bonne nuit! Comment? Ces dames, derrière ces vitrines? Le rêve, monsieur, le rêve à peu de frais, le voyage aux Indes! Ces personnes se parfument aux épices. Vous entrez, elles tirent les rideaux et la navigation commence. Les dieux descendent sur les corps nus et les îles dérivent, démentes, coiffées d'une chevelure ébouriffée de palmiers sous le vent. Essayez.

II

Qu'est-ce qu'un juge-pénitent? Ah! je vous ai intrigué avec cette histoire. Je n'y mettais aucune malice, croyez-le, et je peux m'expliquer plus clairement. Dans un sens, cela fait même partie de mes fonctions. Mais il me faut d'abord vous

5 exposer un certain nombre de faits qui vous aideront à mieux comprendre mon récit.

Il y a quelques années, j'étais avocat à Paris et, ma foi, un avocat assez connu. Bien entendu, je ne vous ai pas dit mon vrai nom. J'avais une spécialité: les nobles causes. La veuve

10 et l'orphelin, comme on dit, je ne sais pourquoi, car enfin il y a des veuves abusives et des orphelins féroces. Il me suffisait cependant de renifler sur un accusé la plus légère odeur de victime pour que mes manches entrassent en action. Et quelle action! Une tempête! J'avais le coeur sur les manches. On

26

aurait cru vraiment que la justice couchait avec moi tous les
soirs. Je suis sûr que vous auriez admiré l'exactitude de mon
ton, la justesse de mon émotion, la persuasion et la chaleur,
l'indignation maîtrisée de mes plaidoiries. La nature m'a bien
servi quant au physique, l'attitude noble me vient sans effort. 5
De plus, j'étais soutenu par deux sentiments sincères: la satisfaction de me trouver du bon côté de la barre et un mépris
instinctif envers les juges en général. Ce mépris, après tout,
n'était peut-être pas si instinctif. Je sais maintenant qu'il avait
ses raisons. Mais, vu du dehors, il ressemblait plutôt à une 10
passion. On ne peut pas nier que, pour le moment, du moins,
il faille[1] des juges, n'est-ce pas? Pourtant, je ne pouvais comprendre qu'un homme se désignât lui-même pour exercer
cette surprenante fonction. Je l'admettais, puisque je le
voyais, mais un peu comme j'admettais les sauterelles. Avec 15
la différence que les invasions de ces orthoptères[2] ne m'ont
jamais rapporté un centime, tandis que je gagnais ma vie en
dialoguant avec des gens que je méprisais.

Mais voilà, j'étais du bon côté, cela suffisait à la paix de ma
conscience. Le sentiment du droit, la satisfaction d'avoir rai- 20
son, la joie de s'estimer soi-même, cher monsieur, sont des
ressorts puissants pour nous tenir debout ou nous faire avan-
cer. Au contraire, si vous en privez les hommes, vous les
transformez en chiens écumants. Combien de crimes commis
simplement parce que leur auteur ne pouvait supporter d'être 25
en faute! J'ai connu autrefois un industriel qui avait une
femme parfaite, admirée de tous, et qu'il trompait pourtant.
Cet homme enrageait littéralement de se trouver dans son
tort, d'être dans l'impossibilité de recevoir, ni de se donner,
un brevet de vertu. Plus sa femme montrait de perfections, 30
plus il enrageait. A la fin, son tort lui devint insupportable.

[1] **Faille** *inf.* falloir.
[2] **Orthoptères** *s.m.* genre d'insectes auquel appartient la sauterelle.

Que croyez-vous qu'il fît alors? Il cessa de la tromper? Non.
Il la tua. C'est ainsi que j'entrai en relations avec lui.

Ma situation était plus enviable. Non seulement je ne risquais pas de rejoindre le camp des criminels (en particulier,
5   je n'avais aucune chance de tuer ma femme, étant célibataire),
mais encore je prenais leur défense, à la seule condition qu'ils
fussent de bons meurtriers, comme d'autres sont de bons sau-
vages. La manière même dont je menais cette défense me
donnait de grandes satisfactions. J'étais vraiment irréprocha-
10 ble dans ma vie professionnelle. Je n'ai jamais accepté de
pot-de-vin, cela va sans dire, mais je ne me suis jamais abaissé
non plus à aucune démarche. Chose plus rare, je n'ai jamais
consenti à flatter aucun journaliste, pour me le rendre favora-
ble, ni aucun fonctionnaire dont l'amitié pût être utile. J'eus
15 même la chance de me voir offrir deux ou trois fois la Légion
d'honneur[3] que je pus refuser avec une dignité discrète où
je trouvais ma vraie récompense. Enfin, je n'ai jamais fait
payer les pauvres et ne l'ai jamais crié sur les toits. Ne croyez
pas, cher monsieur, que je me vante en tout ceci. Mon mérite
20 était nul: l'avidité qui, dans notre société, tient lieu d'ambition, m'a toujours fait rire. Je visais plus haut; vous verrez
que l'expression est exacte en ce qui me concerne.

Mais jugez déjà de ma satisfaction. Je jouissais de ma propre nature, et nous savons tous que c'est là le bonheur bien
25 que, pour nous apaiser mutuellement, nous fassions mine
parfois de condamner ces plaisirs sous le nom d'égoïsme. Je
jouissais, du moins, de cette partie de ma nature qui réagissait
si exactement à la veuve et à l'orphelin qu'elle finissait, à
force de s'exercer, par régner sur toute ma vie. Par exemple,
30 j'adorais aider les aveugles à traverser les rues. Du plus loin
que j'apercevais une canne hésiter sur l'angle d'un trottoir,

[3] **La Légion d'honneur** ordre national français institué en 1802 par
Bonaparte pour récompenser des services militaires ou civils.

je me précipitais, devançais d'une seconde, parfois, la main
charitable qui se tendait déjà, enlevais l'aveugle à toute autre
sollicitude que la mienne et le menais d'une main douce et
ferme sur le passage clouté,[4] parmi les obstacles de la circulation, vers le havre tranquille du trottoir où nous nous sépa-   5
rions avec une émotion mutuelle. De la même manière, j'ai
toujours aimé renseigner les passants dans la rue, leur donner du feu, prêter la main aux charrettes trop lourdes, pousser
l'automobile en panne, acheter le journal de la salutiste,[5] ou
les fleurs de la vieille marchande, dont je savais pourtant   10
qu'elle les volait au cimetière Montparnasse.[6] J'aimais aussi,
ah, cela est plus difficile à dire, j'aimais faire l'aumône. Un
grand chrétien de mes amis[7] reconnaissait que le premier
sentiment qu'on éprouve à voir un mendiant approcher de
sa maison est désagréable. Eh bien, moi, c'était pire: j'exul-   15
tais. Passons là-dessus.

Parlons plutôt de ma courtoisie. Elle était célèbre et pourtant indiscutable. La politesse me donnait en effet de grandes
joies. Si j'avais la chance, certains matins, de céder ma place,
dans l'autobus ou le métro, à qui la méritait visiblement, de   20
ramasser quelque objet qu'une vieille dame avait laissé tomber et de le lui rendre avec un sourire que je connaissais bien,
ou simplement de céder mon taxi à une personne plus pres-
sée que moi, ma journée en était éclairée. Je me réjouissais
même, il faut bien le dire, de ces jours où, les transports pub-   25
lics étant en grève, j'avais l'occasion d'embarquer dans ma
voiture, aux points d'arrêt des autobus, quelques-uns de mes
malheureux concitoyens, empêchés de rentrer chez eux. Quit-

---

[4] **Le passage clouté** emplacement réservé aux piétons pour la traversée
d'une rue et limité par deux rangées de gros clous fixés dans le goudron.
[5] **Salutiste** membre de l'Armée du Salut.
[6] **Cimetière Montparnasse** grand cimetière de Paris qui se trouve au
Boulevard Edgar Quinet (XIVe arrondissement).
[7] **Un grand chrétien de mes amis** un de mes amis qui est grand chrétien.

ter enfin mon fauteuil, au théâtre, pour permettre à un couple
d'être réuni, placer en voyage les valises d'une jeune fille dans
le filet placé trop haut pour elle, étaient autant d'exploits que
j'accomplissais plus souvent que d'autres parce que j'étais
5   plus attentif aux occasions de le faire et que j'en retirais des
plaisirs mieux savourés.

Je passais aussi pour généreux et je l'étais. J'ai beaucoup
donné, en public et dans le privé. Mais loin de souffrir quand
il fallait me séparer d'un objet ou d'une somme d'argent, j'en
10 tirais de constants plaisirs dont le moindre n'était pas une
sorte de mélancolie qui, parfois, naissait en moi, à la consi-
dération de la stérilité de ces dons et de l'ingratitude proba-
ble qui les suivrait. J'avais même un tel plaisir à donner que
je détestais d'y être obligé. L'exactitude dans les choses de
15 l'argent m'assommait et je m'y prêtais avec mauvaise humeur.
Il me fallait être maître de mes libéralités.

Ce sont là de petits traits, mais qui vous feront comprendre
les continuelles délectations que je trouvais dans ma vie, et
surtout dans mon métier. Etre arrêté, par exemple, dans les
20 couloirs du Palais,[8] par la femme d'un accusé qu'on a défendu
pour la seule justice ou pitié, je veux dire gratuitement, entendre cette femme murmurer que rien, non, rien ne pourra
reconnaître ce qu'on a fait pour eux, répondre alors que
c'était bien naturel, n'importe qui en aurait fait autant, offrir
25 même une aide pour franchir les mauvais jours à venir, puis,
afin de couper court aux effusions et leur garder ainsi une
juste résonance, baiser la main d'une pauvre femme et briser
là,[9] croyez-moi, cher monsieur, c'est atteindre plus haut que
l'ambitieux vulgaire et se hisser à ce point culminant où la
30 vertu ne se nourrit plus que d'elle-même.

Arrêtons-nous sur ces cimes. Vous comprenez maintenant
ce que je voulais dire en parlant de viser plus haut. Je parlais

---

[8] **Palais** [de Justice].
[9] **Briser là** équivalent ici de disparaître.

justement de ces points culminants, les seuls où je puisse
vivre. Oui, je ne me suis jamais senti à l'aise que dans les
situations élevées. Jusque dans le détail de la vie, j'avais besoin d'être au-dessus. Je préférais l'autobus au métro, les calè-
ches aux taxis, les terrasses aux entresols. Amateur des avions 5
de sport où l'on porte la tête en plein ciel, je figurais aussi,
sur les bateaux, l'éternel promeneur des dunettes. En montagne, je fuyais les vallées encaissées pour les cols et les pla-
teaux; j'étais l'homme des pénéplaines, au moins. Si le destin
m'avait obligé de choisir un métier manuel, tourneur ou cou- 10
vreur, soyez tranquille, j'eusse choisi les toits et fait amitié
avec les vertiges. Les soutes, les cales, les souterrains, les grottes,
les gouffres me faisaient horreur. J'avais même voué une haine
spéciale aux spéléologues, qui avaient le front d'occuper la
première page des journaux, et dont les performances m'écoeu- 15
raient. S'efforcer de parvenir à la côte moins huit cents, au
risque de se trouver la tête coincée dans un goulet rocheux
(un siphon, comme disent ces inconscients!) me paraissait
l'exploit de caractères pervertis ou traumatisés. Il y avait du
crime là-dessous.   20

Un balcon naturel, à cinq ou six cents mètres au-dessus
d'une mer encore visible et baignée de lumière, était au contraire l'endroit où je respirais le mieux, surtout si j'étais seul,
bien au-dessus des fourmis humaines. Je m'expliquais sans
peine que les sermons, les prédications décisives, les miracles 25
de feu se fissent sur des hauteurs accessibles. Selon moi, on ne
méditait pas dans les caves ou les cellules des prisons (à moins
qu'elles fussent situées dans une tour, avec une vue étendue);
on y moisissait. Et je comprenais cet homme qui, étant entré
dans les ordres, défroqua parce que sa cellule, au lieu d'ouvrir, 30
comme il s'y attendait, sur un vaste paysage, donnait sur un
mur. Soyez sûr qu'en ce qui me concerne, je ne moisissais pas.
A toute heure du jour, en moi-même et parmi les autres, je
grimpais sur la hauteur, j'y allumais des feux apparents, et

une joyeuse salutation s'élevait vers moi. C'est ainsi, du moins,
que je prenais plaisir à la vie et à ma propre excellence.

Ma profession satisfaisait heureusement cette vocation des
sommets. Elle m'enlevait toute amertume à l'égard de mon
5   prochain que j'obligeais toujours sans jamais rien lui devoir.
Elle me plaçait au-dessus du juge que je jugeais à son tour,
au-dessus de l'accusé que je forçais à la reconnaissance. Pesez
bien cela, cher monsieur: je vivais impunément. Je n'étais
concerné par aucun jugement, je ne me trouvais pas sur la
10   scène du tribunal, mais quelque part, dans les cintres, comme
ces dieux que, de temps en temps, on descend, au moyen d'une
machine, pour transfigurer l'action et lui donner son sens.
Après tout, vivre, au-dessus reste encore la seule manière
d'être vu et salué par le plus grand nombre.

15   Quelques-uns de mes bons criminels avaient d'ailleurs, en
tuant, obéi au même sentiment. La lecture des journaux, dans
la triste situation où ils se trouvaient, leur apportait sans
doute une sorte de compensation malheureuse. Comme beaucoup d'hommes, ils n'en pouvaient plus de l'anonymat et
20   cette impatience avait pu, en partie, les mener à de fâcheuses
extrémités. Pour être connu, il suffit en somme de tuer sa
concierge. Malheureusement, il s'agit d'une réputation éphémère, tant il y a de concierges qui méritent et reçoivent le
couteau. Le crime tient sans trêve le devant de la scène, mais
25   le criminel n'y figure que fugitivement, pour être aussitôt
remplacé. Ces brefs triomphes enfin se payent trop cher. Défendre nos malheureux aspirants à la réputation revenait, au
contraire, à être vraiment reconnu, dans le même temps et
aux mêmes places, mais par des moyens plus économiques.
30   Cela m'encourageait aussi à déployer de méritoires efforts
pour qu'ils payassent le moins possible: ce qu'ils payaient, ils
le payaient un peu à ma place. L'indignation, le talent, l'émotion que je dépensais m'enlevaient, en revanche, toute dette
à leur égard. Les juges punissaient, les accusés expiaient et

moi, libre de tout devoir, soustrait au jugement comme à la sanction, je régnais, librement, dans une lumière édénique.

N'était-ce pas cela, en effet, l'Eden, cher monsieur: la vie en prise directe?[10] Ce fut la mienne. Je n'ai jamais eu besoin d'apprendre à vivre. Sur ce point, je savais déjà tout en naissant. Il y a des gens dont le problème est de s'abriter des hommes, ou du moins de s'arranger d'eux. Pour moi, l'arrangement était fait. Familier quand il le fallait, silencieux si nécessaire, capable de désinvolture autant que de gravité, j'étais de plain-pied. Aussi[11] ma popularité était-elle grande et je ne comptais plus mes succès dans le monde. Je n'étais pas mal fait de ma personne, je me montrais à la fois danseur infatigable et discret érudit, j'arrivais à aimer en même temps, ce qui n'est guère facile, les femmes et la justice, je pratiquais les sports et les beaux-arts, bref, je m'arrête, pour que vous ne me soupçonniez pas de complaisance. Mais imaginez, je vous prie, un homme dans la force de l'âge, de parfaite santé, généreusement doué, habile dans les exercices du corps comme dans ceux de l'intelligence, ni pauvre ni riche, dormant bien, et profondément content de lui-même sans le montrer autrement que par une sociabilité heureuse. Vous admettrez alors que je puisse parler, en toute modestie, d'une vie réussie.

Oui, peu d'êtres ont été plus naturels que moi. Mon accord avec la vie était total, j'adhérais à ce qu'elle était, du haut en bas, sans rien refuser de ses ironies, de sa grandeur, ni de ses servitudes. En particulier, la chair, la matière, le physique en un mot, qui déconcerte ou décourage tant d'hommes dans l'amour ou dans la solitude, m'apportait, sans m'asservir, des joies égales. J'étais fait pour avoir un corps. De là cette harmonie en moi, cette maîtrise détendue que les gens sentaient

---

[10] **En prise directe** la vie sans obstacle, sans limitations, sans intermédiaires. Cette expression est empruntée au vocabulaire de l'automobile.
[11] **Aussi** au début de la phrase: par conséquent.

et dont ils m'avouaient parfois qu'elle les aidait à vivre. On
recherchait donc ma compagnie. Souvent, par exemple, on
croyait m'avoir déjà rencontré. La vie, ses êtres et ses dons
venaient au-devant de moi; j'acceptais ces hommages avec une
5   bienveillante fierté. En vérité, à force d'être homme, avec
tant de plénitude et de simplicité, je me trouvais un peu surhomme.

J'étais d'une naissance honnête, mais obscure (mon père
était officier) et pourtant, certains matins, je l'avoue humble-
10   ment, je me sentais fils de roi, ou buisson ardent.¹² Il s'agissait, notez-le bien, d'autre chose que la certitude où je vivais
d'être plus intelligent que tout le monde. Cette certitude
d'ailleurs est sans conséquence du fait que tant d'imbéciles
la partagent. Non, à force d'être comblé, je me sentais, j'hésite
15   à l'avouer, désigné. Désigné personnellement, entre tous, pour
cette longue et constante réussite. C'était là, en somme, un
effet de ma modestie. Je refusais d'attribuer cette réussite à
mes seuls mérites,¹³ et je ne pouvais croire que la réunion, en
une personne unique, de qualités si différentes et si extrêmes,
20   fût le résultat du seul hasard. C'est pourquoi, vivant heureux,
je me sentais, d'une certaine manière, autorisé à ce bonheur
par quelque décret supérieur. Quand je vous aurai dit que
je n'avais nulle religion, vous apercevrez encore mieux ce
qu'il y avait d'extraordinaire dans cette conviction. Ordinaire
25   ou non, elle m'a soulevé longtemps au-dessus du train quotidien et j'ai plané, littéralement, pendant des années dont, à
vrai dire, j'ai encore le regret au coeur.¹⁴ J'ai plané jusqu'au
soir où... Mais non, ceci est une autre affaire et il faut l'ou-

---

¹² **Buisson ardent** voir Exode III, 2-12. Clamence se sentait promis à de
grandes destinées.
¹³ **Mes seuls mérites** attribuer cette réussite uniquement à mes mérites.
Cf. «du seul hasard» et «sa seule existence» p. 37.
¹⁴ **J'ai encore le regret au coeur** ces années me manquent encore aujourd'hui.

blier. D'ailleurs, j'exagère peut-être. J'étais à l'aise en tout, il
est vrai, mais en même temps satisfait de rien. Chaque joie
m'en faisait désirer une autre. J'allais de fête en fête. Il m'arrivait de danser pendant des nuits, de plus en plus fou des
êtres et de la vie. Parfois, tard dans ces nuits où la danse,   5
l'alcool léger, mon déchaînement, le violent abandon de
chacun, me jetaient dans un ravissement à la fois las et comblé, il me semblait, à l'extrémité de la fatigue, et l'espace
d'une seconde, que je comprenais enfin le secret des êtres et
du monde. Mais la fatigue disparaissait le lendemain et, avec   10
elle, le secret; je m'élançais de nouveau. Je courais ainsi, toujours comblé, jamais rassasié, sans savoir où m'arrêter, jusqu'au jour, jusqu'au soir plutôt où la musique s'est arrêtée,
les lumières se sont éteintes. La fête où j'avais été heureux...
Mais permettez-moi de faire appel à notre ami le primate.   15
Hochez la tête pour le remercier et, surtout, buvez avec moi,
j'ai besoin de votre sympathie.

   Je vois que cette déclaration vous étonne. N'avez-vous jamais eu subitement besoin de sympathie, de secours, d'amitié?
Oui, bien sûr. Moi, j'ai appris à me contenter de la sympathie. 20
On la trouve plus facilement, et puis elle n'engage à rien.
«Croyez à ma sympathie,» dans le discours intérieur, pré-
cède immédiatement «et maintenant, occupons-nous d'autre
chose.» C'est un sentiment de président du conseil: on l'ob-
tient à bon marché, après les catastrophes. L'amitié, c'est   25
moins simple. Elle est longue et dure à obtenir, mais quand
on l'a, plus moyen de s'en débarrasser, il faut faire face. Ne
croyez pas surtout que vos amis vous téléphoneront tous les
soirs, comme ils le devraient, pour savoir si ce n'est pas justement le soir où vous décidez de vous suicider, ou plus sim-   30
plement si vous n'avez pas besoin de compagnie, si vous n'êtes
pas en disposition de sortir. Mais non, s'ils téléphonent, soyez
tranquille, ce sera le soir où vous n'êtes pas seul, et où la vie
est belle. Le suicide, ils vous y pousseraient plutôt, en vertu

de ce que vous vous devez à vous-même, selon eux. Le ciel
nous préserve, cher monsieur, d'être placés trop haut par nos
amis! Quant à ceux dont c'est la fonction de nous aimer, je
veux dire les parents, les alliés (quelle expression!), c'est une
5 autre chanson. Ils ont le mot qu'il faut, eux, mais c'est plutôt
le mot qui fait balle; ils téléphonent comme on tire à la carabine. Et ils visent juste. Ah! les Bazaine![15]

Comment? Quel soir? J'y viendrai, soyez patient avec moi.
D'une certaine manière, d'ailleurs, je suis dans mon sujet,
10 avec cette histoire d'amis et d'alliés. Voyez-vous, on m'a parlé
d'un homme dont l'ami avait été emprisonné et qui couchait
tous les soirs sur le sol de sa chambre pour ne pas jouir d'un
confort qu'on avait retiré à celui qu'il aimait. Qui, cher monsieur, qui couchera sur le sol pour nous? Si j'en suis capable
15 moi-même? Ecoutez, je voudrais l'être, je le serai. Oui, nous
en serons tous capables un jour, et ce sera le salut. Mais ce
n'est pas facile, car l'amitié est distraite, ou du moins impuis-
sante. Ce qu'elle veut, elle ne le peut pas. Peut-être, après
tout, ne le veut-elle pas assez? Peut-être n'aimons-nous pas
20 assez la vie? Avez-vous remarqué que la mort seule réveille
nos sentiments? Comme nous aimons les amis qui viennent
de nous quitter, n'est-ce pas? Comme nous admirons ceux de
nos maîtres qui ne parlent plus, la bouche pleine de terre!
L'hommage vient alors tout naturellement, cet hommage que,
25 peut-être, ils avaient attendu de nous toute leur vie. Mais
savez-vous pourquoi nous sommes toujours plus justes et plus
généreux avec les morts? La raison est simple! Avec eux, il
n'y a pas d'obligation. Ils nous laissent libres, nous pouvons
prendre notre temps, caser l'hommage entre le cocktail et une
30 gentille maîtresse, à temps perdu, en somme. S'ils nous obli-
geaient à quelque chose, ce serait à la mémoire, et nous avons

---

[15] **Bazaine** (Achille) général français qui, mis à la tête de l'armée lor-
raine pendant la guerre franco-prussienne, capitula à Metz. Dans la
conscience populaire il est devenu le prototype du traître.

la mémoire courte. Non, c'est le mort frais que nous aimons chez nos amis, le mort douloureux, notre émotion, nous-mêmes enfin!

J'avais ainsi un ami que j'évitais le plus souvent. Il m'ennuyait un peu, et puis il avait de la morale. Mais à l'agonie, il m'a retrouvé, soyez tranquille. Je n'ai pas raté une journée. Il est mort, content de moi, en me serrant les mains. Une femme qui me relançait trop souvent, et en vain, eut le bon goût de mourir jeune. Quelle place aussitôt dans mon coeur! Et quand, de surcroît, il s'agit d'un suicide! Seigneur, quel délicieux branle-bas! Le téléphone fonctionne, le coeur déborde, et les phrases volontairement brèves, mais lourdes de sous-entendus, la peine maîtrisée, et même, oui, un peu d'auto-accusation!

L'homme est ainsi, cher monsieur, il a deux faces: il ne peut pas aimer sans s'aimer. Observez vos voisins, si, par chance, il survient un décès dans l'immeuble. Ils dormaient dans leur petite vie et voilà, par exemple, que le concierge meurt. Aussitôt, ils s'éveillent, frétillent, s'informent, s'apitoient. Un mort sous presse, et le spectacle commence enfin. Ils ont besoin de la tragédie, que voulez-vous, c'est leur petite transcendance, c'est leur apéritif. D'ailleurs, est-ce un hasard si je vous parle de concierge? J'en avais un, vraiment disgracié, la méchanceté même, un monstre d'insignifiance et de rancune, qui aurait découragé un franciscain. Je ne lui parlais même plus, mais, par sa seule existence, il compromettait mon contentement habituel. Il est mort, et je suis allé à son enterrement. Voulez-vous me dire pourquoi?

Les deux jours qui précédèrent la cérémonie furent d'ailleurs pleins d'intérêt. La femme du concierge était malade, couchée dans la pièce unique, et, près d'elle, on avait étendu la caisse sur des chevalets. Il fallait prendre son courrier soi-même. On ouvrait, on disait: «Bonjour, madame,» on écoutait l'éloge du disparu que la concierge désignait de la main,

et on emportait son courrier. Rien de réjouissant là-dedans,
n'est-ce pas? Toute la maison, pourtant, a défilé dans la loge
qui puait le phénol. Et les locataires n'envoyaient pas leurs
domestiques, non, ils venaient profiter eux-mêmes de l'au-
5 baine. Les domestiques aussi, d'ailleurs, mais en catimini. Le
jour de l'enterrement, la caisse était trop grande pour la porte
de la loge. «O mon chéri, disait dans son lit la concierge, avec
une surprise à la fois ravie et navrée, comme il était grand!»
«Pas d'inquiétude, madame, répondait l'ordonnateur, on le
10 passera de champ, et debout.» On l'a passé debout, et puis on
l'a couché, et j'ai été le seul (avec un ancien chasseur de cabaret, dont j'ai compris qu'il buvait son pernod tous les soirs
avec le défunt) à aller jusqu'au cimetière et à jeter des fleurs
sur un cercueil dont le luxe m'étonna. Ensuite, j'ai fait une
15 visite à la concierge, pour recevoir ses remerciements de tragédienne. Quelle raison à tout cela, dites-moi? Aucune, sinon
l'apéritif.

J'ai enterré aussi un vieux collaborateur de l'Ordre des
avocats.[16] Un commis, assez dédaigné, à qui je serrais toujours
20 la main. Là où je travaillais, je serrais toutes les mains d'ailleurs, et plutôt deux fois qu'une. Cette cordiale simplicité me
valait, à peu de frais, la sympathie de tous, nécessaire à mon
épanouissement. Pour l'enterrement de notre commis, le bâtonnier ne s'était pas dérangé. Moi, oui, et à la veille d'un
25 voyage, ce qui fut souligné. Justement, je savais que ma
présence serait remarquée, et favorablement commentée.
Alors, vous comprenez, même la neige qui tombait ce jour-là
ne m'a pas fait reculer.

Comment? J'y viens, ne craignez rien, j'y suis encore, du
30 reste. Mais laissez-moi auparavant vous faire remarquer que
ma concierge, qui s'était ruinée en crucifix, en beau chêne,

---

[16] **L'Ordre des avocats** le corps ou la corporation des avocats, une asso-
ciation professionnelle.

et en poignées d'argent, pour mieux jouir de son émotion,
s'est collée, un mois plus tard, avec un faraud à belle voix. Il
la cognait, on entendait des cris affreux, et tout de suite
après, il ouvrait la fenêtre et poussait sa romance préférée:
«Femmes, que vous êtes jolies!» «Tout de même!» disaient 5
les voisins. Tout de même quoi, je vous le demande? Bon, ce
baryton avait les apparences contre lui, et la concierge aussi.
Mais rien ne prouve qu'ils ne s'aimaient pas. Rien ne prouve,
non plus, qu'elle n'aimait pas son mari. Du reste, quand le
faraud s'envola, la voix et le bras fatigués, elle reprit l'éloge 10
du disparu, cette fidèle! Après tout, j'en sais d'autres qui ont
les apparences pour eux, et qui n'en sont pas plus constants
ni sincères. J'ai connu un homme qui a donné vingt ans de sa
vie à une étourdie, qui lui a tout sacrifié, ses amitiés, son
travail, la décence même de sa vie, et qui reconnut un soir 15
qu'il ne l'avait jamais aimée. Il s'ennuyait, voilà tout, il
s'ennuyait, comme la plupart des gens. Il s'était donc créé de
toutes pièces une vie de complications et de drames. Il faut
que quelque chose arrive, voilà l'explication de la plupart des
engagements humains. Il faut que quelque chose arrive, 20
même la servitude sans amour, même la guerre, ou la mort.
Vivent donc les enterrements!

Moi, du moins, je n'avais pas cette excuse. Je ne m'ennuyais
pas puisque je régnais. Le soir dont je vous parle, je peux
même dire que je m'ennuyais moins que jamais. Non, 25
vraiment, je ne désirais pas que quelque chose arrivât. Et
pourtant... Voyez-vous, cher monsieur, c'était un beau soir
d'automne, encore tiède sur la ville, déjà humide sur la Seine.
La nuit venait, le ciel était encore clair à l'ouest, mais
s'assombrissait, les lampadaires brillaient faiblement. Je 30
remontais les quais de la rive gauche vers le pont des Arts.[17]

---

[17] **Le pont des Arts** relie la place de l'Institut [de France] au quai du
Louvre. C'est un pont réservé aux piétons.

On voyait luire le fleuve, entre les boîtes fermées des bouqui-
nistes. Il y avait peu de monde sur les quais: Paris mangeait
déjà. Je foulais les feuilles jaunes et poussiéreuses qui
rappelaient encore l'été. Le ciel se remplissait peu à peu
5   d'étoiles qu'on apercevait fugitivement en s'éloignant d'un
lampadaire vers un autre. Je goûtais le silence revenu, la
douceur du soir, Paris vide. J'étais content. La journée avait
été bonne: un aveugle, la réduction de peine que j'espérais,
la chaude poignée de main de mon client, quelques générosités
10 et, dans l'après-midi, une brillante improvisation, devant
quelques amis, sur la dureté de coeur de notre classe dirigeante
et l'hypocrisie de nos élites.

    J'étais monté sur le pont des Arts, désert à cette heure, pour
regarder le fleuve qu'on devinait à peine dans la nuit mainte-
15 nant venue. Face au Vert-Galant,[18] je dominais l'île. Je sentais
monter en moi un vaste sentiment de puissance et, comment
dirais-je, d'achèvement, qui dilatait mon coeur. Je me
redressai et j'allais allumer une cigarette, la cigarette de la
satisfaction, quand, au même moment, un rire éclata derrière
20 moi. Surpris, je fis une brusque volte-face: il n'y avait
personne. J'allai jusqu'au garde-fou: aucune péniche, aucune
barque. Je me retournai vers l'île et, de nouveau, j'entendis
le rire dans mon dos, un peu plus lointain, comme s'il
descendait le fleuve. Je restais là, immobile. Le rire décroissait,
25 mais je l'entendais encore distinctement derrière moi, venu
de nulle part, sinon des eaux. En même temps, je percevais
les battements précipités de mon coeur. Entendez-moi bien,
ce rire n'avait rien de mystérieux; c'était un bon rire, naturel,
presque amical, qui remettait les choses en place. Bientôt

---

[18] **Vert-Galant** charmant petit jardin à la pointe de l'île de la cité qui
doit son nom au pseudonyme fréquemment donné au roi Henri IV.
Une statue du roi s'y trouve.

PLAN DE PARIS.

d'ailleurs, je n'entendis plus rien. Je regagnai les quais, pris
la rue Dauphine,[19] achetai des cigarettes dont je n'avais nul
besoin. J'étais étourdi, je respirais mal. Ce soir-là, j'appelai un
ami qui n'était pas chez lui. J'hésitais à sortir, quand, soudain,
5   j'entendis rire sous mes fenêtres. J'ouvris. Sur le trottoir, en
effet, des jeunes gens se séparaient joyeusement. Je refermai
les fenêtres en haussant les épaules; après tout, j'avais un
dossier à étudier. Je me rendis dans la salle de bains pour
boire un verre d'eau. Mon image souriait dans la glace, mais
10 il me sembla que mon sourire était double...

Comment? Pardonnez-moi, je pensais à autre chose. Je vous
reverrai demain, sans doute. Demain, oui, c'est cela. Non,
non, je ne puis rester. D'ailleurs, je suis appelé en consultation
par l'ours brun que vous voyez là-bas. Un honnête homme, à
15 coup sûr, que la police brime vilainement, et par pure
perversité. Vous estimez qu'il a une tête de tueur? Soyez sûr
que c'est la tête de l'emploi. Il cambriole, aussi bien, et vous
serez surpris d'apprendre que cet homme des cavernes est
spécialisé dans le trafic des tableaux. En Hollande, tout le
20 monde est spécialiste en peintures et en tulipes. Celui-ci, avec
ses airs modestes, est l'auteur du plus célèbre des vols de
tableaux. Lequel? Je vous le dirai peut-être. Ne vous étonnez
pas de ma science.[20] Bien que je sois juge-pénitent, j'ai ici un
violon d'Ingres:[21] je suis le conseiller juridique de ces braves
25 gens. J'ai étudié les lois du pays et je me suis fait une clientèle
dans ce quartier où l'on n'exige pas vos diplômes. Ce n'était
pas facile, mais j'inspire confiance, n'est-ce pas? J'ai un beau
rire franc, ma poignée de main est énergique, ce sont là des
atouts. Et puis j'ai réglé quelques cas difficiles, par intérêt
30 d'abord, par conviction ensuite. Si les souteneurs et les voleurs

[19] **Rue Dauphine** rue de la rive gauche qui aboutit au Pont-neuf.
[20] **Science** tout ce que je sais (sens littéral).
[21] **Violon d'Ingres** occupation secondaire où l'on excelle.

étaient toujours et partout condamnés, les honnêtes gens se croiraient tous et sans cesse innocents, cher monsieur. Et selon moi—voilà, voilà, je viens!—c'est surtout cela qu'il faut éviter. Il y aurait de quoi rire, autrement.

III

Vraiment, mon cher compatriote, je vous suis reconnaissant de votre curiosité. Pourtant, mon histoire n'a rien d'extraordinaire. Sachez, puisque vous y tenez, que j'ai pensé un peu à ce rire, pendant quelques jours, puis je l'ai oublié. De loin en loin, il me semblait l'entendre, quelque part en moi. Mais, la plupart du temps, je pensais, sans effort, à autre chose.

Je dois reconnaître cependant que je ne mis plus les pieds sur les quais de Paris. Lorsque j'y passais, en voiture ou en autobus, il se faisait une sorte de silence en moi. J'attendais, je crois. Mais je franchissais la Seine, rien ne se produisait, je respirais. J'eus aussi, à ce moment, quelques misères de santé. Rien de précis, de l'abattement si vous voulez, une sorte de difficulté à retrouver ma bonne humeur. Je vis des médecins qui me donnèrent des remontants. Je remontais, et puis redescendais. La vie me devenait moins facile: quand le corps est triste, le coeur languit. Il me semblait que je désapprenais en partie ce que je n'avais jamais appris et que je savais pourtant si bien, je veux dire vivre. Oui, je crois bien que 5 c'est alors que tout commença.

Mais ce soir, non plus, je ne me sens pas en forme. J'ai même du mal à tourner mes phrases. Je parle moins bien, il me semble, et mon discours est moins sûr. Le temps, sans doute. On respire mal, l'air est si lourd qu'il pèse sur la 10 poitrine. Verriez-vous un inconvénient, mon cher compatriote, à ce que nous sortions pour marcher un peu dans la ville? Merci.

Comme les canaux sont beaux, le soir! J'aime le souffle des eaux moisies, l'odeur des feuilles mortes qui macèrent dans le 15 canal et celle, funèbre, qui monte des péniches pleines de fleurs. Non, non, ce goût n'a rien de morbide, croyez-moi. Au contraire, c'est, chez moi, un parti pris. La vérité est que je me force à admirer ces canaux. Ce que j'aime le plus au monde, c'est la Sicile, vous voyez bien, et encore du haut de 20 l'Etna,[1] dans la lumière, à condition de dominer l'île et la mer. Java, aussi, mais à l'époque des alizés. Oui, j'y suis allé dans ma jeunesse. D'une manière générale, j'aime toutes les îles. Il est plus facile d'y régner.

Délicieuse maison, n'est-ce pas? Les deux têtes que vous 25 voyez là sont celles d'esclaves nègres. Une enseigne. La maison appartenait à un vendeur d'esclaves. Ah! on ne cachait pas son jeu, en ce temps-là! On avait du coffre, on disait: «Voilà, j'ai pignon sur rue, je trafique des esclaves, je vends de la chair noire.» Vous imaginez quelqu'un, aujourd'hui, faisant 30 connaître publiquement que tel est son métier? Quel scandale!

[1] **Etna** volcan du nord-est de la Sicile. La mythologie y place les forges de Vulcain et des Cyclopes.

J'entends d'ici mes confrères parisiens. C'est qu'ils sont irré-
ductibles sur la question, ils n'hésiteraient pas à lancer deux
ou trois manifestes, peut-être même plus! Réflexion faite,
j'ajouterais ma signature à la leur. L'esclavage, ah, mais non,
nous sommes contre! Qu'on soit contraint de l'installer chez
soi, ou dans les usines, bon, c'est dans l'ordre des choses, mais
s'en vanter, c'est le comble.

Je sais bien qu'on ne peut se passer de dominer ou d'être
servi. Chaque homme a besoin d'esclaves comme d'air pur.
Commander, c'est respirer, vous êtes bien de cet avis? Et même
les plus déshérités arrivent à respirer. Le dernier dans l'échelle
sociale a encore son conjoint, ou son enfant. S'il est célibataire,
un chien. L'essentiel, en somme, est de pouvoir se fâcher sans
que l'autre ait le droit de répondre. «On ne répond pas à son
père,» vous connaissez la formule? Dans un sens, elle est
singulière. A qui répondrait-on en ce monde sinon à ce qu'on
aime? Dans un autre sens, elle est convaincante. Il faut bien
que quelqu'un ait le dernier mot. Sinon, à toute raison peut
s'opposer une autre: on n'en finirait plus. La puissance, au
contraire, tranche tout. Nous y avons mis le temps, mais nous
avons compris cela. Par exemple, vous avez dû le remarquer,
notre vieille Europe philosophe enfin de la bonne façon.
Nous ne disons plus, comme aux temps naïfs: «Je pense ainsi.
Quelles sont vos objections?» Nous sommes devenus lucides.
Nous avons remplacé le dialogue par le communiqué. «Telle
est la vérité, disons-nous. Vous pouvez toujours la discuter,
ça ne nous intéresse pas. Mais dans quelques années, il y aura
la police, qui vous montrera que j'ai raison.»

Ah! chère planète! Tout y est clair maintenant. Nous nous
connaissons, nous savons ce dont nous sommes capables.
Tenez, moi, pour changer d'exemple, sinon de sujet, j'ai
toujours voulu être servi avec le sourire. Si la bonne avait
l'air triste, elle empoisonnait mes journées. Elle avait bien le
droit de ne pas être gaie, sans doute. Mais je me disais qu'il

valait mieux pour elle qu'elle fît son service en riant plutôt
qu'en pleurant. En fait, cela valait mieux pour moi. Pourtant,
sans être glorieux, mon raisonnement n'était pas tout à fait
idiot. De la même manière, je refusais toujours de manger
dans les restaurants chinois. Pourquoi? Parce que les Asia-   5
tiques, lorsqu'ils se taisent, et devant les blancs, ont souvent
l'air méprisant. Naturellement, ils le gardent, cet air, en
servant! Comment jouir alors du poulet laqué,[2] comment
surtout, en les regardant, penser qu'on a raison?

Tout à fait entre nous, la servitude, souriante de préférence,   10
est donc inévitable. Mais nous ne devons pas le reconnaître.
Celui qui ne peut s'empêcher d'avoir des esclaves, ne vaut-il
pas mieux qu'il les appelle hommes libres? Pour le principe
d'abord, et puis pour ne pas les désespérer. On leur doit bien
cette compensation, n'est-ce pas? De cette manière, ils conti-   15
nueront de sourire et nous garderons notre bonne conscience.
Sans quoi, nous serions forcés de revenir sur nous-mêmes,
nous deviendrions fous de douleur, ou même modestes, tout
est à craindre. Aussi, pas d'enseignes, et celle-ci est scandaleuse.
D'ailleurs, si tout le monde se mettait à table, hein, affichait   20
son vrai métier, son identité, on ne saurait plus où donner de
la tête! Imaginez des cartes de visite: Dupont, philosophe
froussard, ou propriétaire chrétien, ou humaniste adultère,
on a le choix, vraiment. Mais ce serait l'enfer! Oui, l'enfer
doit être ainsi: des rues à enseignes et pas moyen de s'expli-   25
quer. On est classé une fois pour toutes.

Vous, par exemple, mon cher compatriote, pensez un peu
à ce que serait votre enseigne. Vous vous taisez? Allons, vous
me répondrez plus tard. Je connais la mienne en tout cas:
une face double, un charmant Janus,[3] et, au-dessus, la devise   30

---

[2] **Poulet laqué** spécialité chinoise.
[3] **Janus** dieu romain propre à l'Italie. Une légende rapportait qu'il avait
été roi du Latium au temps de l'Age d'Or. Saturne, en récompense d'un
bienfait, lui avait accordé le don de lire dans le passé et dans l'avenir.
C'est pourquoi on le représentait toujours avec deux visages.

de la maison: «Ne vous y fiez pas.» Sur mes cartes: «Jean-Baptiste Clamence, comédien.» Tenez, peu de temps après le soir dont je vous ai parlé, j'ai découvert quelque chose. Quand je quittais un aveugle sur le trottoir où je l'avais aidé à atterrir, je le saluais. Ce coup de chapeau ne lui était évidemment pas destiné, il ne pouvait pas le voir. A qui donc s'adressait-il? Au public. Après le rôle, les saluts. Pas mal, hein? Un autre jour, à la même époque, à un automobiliste qui me remerciait de l'avoir aidé, je répondis que personne n'en aurait fait autant. Je voulais dire, bien sûr, n'importe qui. Mais ce malheureux lapsus me resta sur le coeur. Pour la modestie, vraiment, j'étais imbattable.

Il faut le reconnaître humblement, mon cher compatriote, j'ai toujours crevé de vanité. Moi, moi, moi, voilà le refrain de ma chère vie, et qui s'entendait dans tout ce que je disais. Je n'ai jamais pu parler qu'en me vantant, surtout si je le faisais avec cette fracassante discrétion dont j'avais le secret. Il est bien vrai que j'ai toujours vécu libre et puissant. Simplement, je me sentais libéré à l'égard de tous pour l'excellente raison que je ne me reconnaissais pas d'égal. Je me suis toujours estimé plus intelligent que tout le monde, je vous l'ai dit, mais aussi plus sensible et plus adroit, tireur d'élite, conducteur incomparable, meilleur amant. Même dans les domaines où il m'était facile de vérifier mon infériorité, comme le tennis par exemple, où je n'étais qu'un honnête partenaire, il m'était difficile de ne pas croire que, si j'avais le temps de m'entraîner, je surclasserais les premières séries. Je ne me reconnaissais que des supériorités, ce qui expliquait ma bienveillance et ma sérénité. Quand je m'occupais d'autrui, c'était pure condescendance, en toute liberté, et le mérite entier m'en revenait: je montais d'un degré dans l'amour que je me portais.

Avec quelques autres vérités, j'ai découvert ces évidences peu à peu, dans la période qui suivit le soir dont je vous ai

parlé. Pas tout de suite, non, ni très distinctement. Il a fallu
d'abord que je retrouve la mémoire. Par degrés, j'ai vu plus
clair, j'ai appris un peu de ce que je savais. Jusque-là, j'avais
toujours été aidé par un étonnant pouvoir d'oubli. J'oubliais
tout, et d'abord mes résolutions. Au fond, rien ne comptait.   5
Guerre, suicide, amour, misère, j'y prêtais attention, bien sûr,
quand les circonstances m'y forçaient, mais d'une manière
courtoise et superficielle. Parfois, je faisais mine de me
passionner pour une cause étrangère à ma vie la plus quotidienne. Dans le fond pourtant, je n'y participais pas, sauf,   10
bien sûr, quand ma liberté était contrariée. Comment vous
dire? Ça glissait. Oui, tout glissait sur moi.

Soyons justes: il arrivait que mes oublis fussent méritoires.
Vous avez remarqué qu'il y a des gens dont la religion consiste
à pardonner toutes les offenses et qui les pardonnent en effet,   15
mais ne les oublient jamais. Je n'étais pas d'assez bonne étoffe
pour pardonner aux offenses, mais je finissais toujours par les
oublier. Et tel qui se croyait détesté de moi n'en revenait pas
de se voir salué avec un grand sourire. Selon sa nature, il
admirait alors ma grandeur d'âme ou méprisait ma pleutrerie   20
sans penser que ma raison était plus simple: j'avais oublié
jusqu'à son nom. La même infirmité qui me rendait in-
différent ou ingrat me faisait alors magnanime.

Je vivais donc sans autre continuité que celle, au jour le
jour, du moi-moi-moi. Au jour le jour les femmes, au jour le   25
jour la vertu ou le vice, au jour le jour, comme les chiens,
mais tous les jours, moi-même, solide au poste. J'avançais
ainsi à la surface de la vie, dans les mots en quelque sorte,
jamais dans la réalité. Tous ces livres à peine lus, ces amis à
peine aimés, ces villes à peine visitées, ces femmes à peine   30
prises! Je faisais des gestes par ennui, ou par distraction. Les
êtres suivaient, ils voulaient s'accrocher, mais il n'y avait rien,
et c'était le malheur. Pour eux. Car, pour moi, j'oubliais. Je
ne me suis jamais souvenu que de moi-même.

Peu à peu, la mémoire m'est cependant revenue. Ou
plutôt je suis revenu à elle, et j'y ai trouvé le souvenir qui
m'attendait. Avant de vous en parler, permettez-moi, mon
cher compatriote, de vous donner quelques exemples (qui
5   vous serviront, j'en suis sûr) de ce que j'ai découvert au cours
de mon exploration.

Un jour où, conduisant ma voiture, je tardais une seconde
à démarrer au feu vert, pendant que nos patients concitoyens
déchaînaient sans délai leurs avertisseurs dans mon dos, je me
10   suis souvenu soudain d'une autre aventure, survenue dans les
mêmes circonstances. Une motocyclette conduite par un petit
homme sec, portant lorgnon et pantalon de golf, m'avait
doublé et s'était installée devant moi, au feu rouge. En stop-
pant, le petit homme avait calé son moteur et s'évertuait en
15   vain à lui redonner souffle. Au feu vert, je lui demandai, avec
mon habituelle politesse, de ranger sa motocyclette pour que
je puisse passer. Le petit homme s'énervait encore sur son
moteur poussif. Il me répondit donc, selon les règles de la
courtoisie parisienne, d'aller me rhabiller. J'insistai, toujours
20   poli, mais avec une légère nuance d'impatience dans la voix.
On me fit savoir aussitôt que, de toute manière, on m'emme-
nait à pied et à cheval. Pendant ce temps, quelques avertisseurs
commençaient, derrière moi, de se faire entendre. Avec plus de
fermeté, je priai mon interlocuteur d'être poli et de consi-
25   dérer qu'il entravait la circulation. L'irascible personnage,
exaspéré sans doute par la mauvaise volonté, devenue évidente, de son moteur, m'informa que si je désirais ce qu'il
appelait une dérouillée, il me l'offrirait de grand cœur. Tant
de cynisme me remplit d'une bonne fureur et je sortis de ma
30   voiture dans l'intention de frotter les oreilles de ce mal
embouché. Je ne pense pas être lâche (mais que ne pense-t-on
pas!), je dépassais d'une tête mon adversaire, mes muscles
m'ont toujours bien servi. Je crois encore maintenant que la
dérouillée aurait été reçue plutôt qu'offerte. Mais j'étais à

peine sur la chaussée que, de la foule qui commençait à s'as-
sembler, un homme sortit, se précipita sur moi, vint m'assurer
que j'étais le dernier des derniers et qu'il ne me permettrait
pas de frapper un homme qui avait une motocyclette entre les
jambes et s'en trouvait, par conséquent, désavantagé. Je fis 5
face à ce mousquetaire[4] et, en vérité, ne le vis même pas. A
peine, en effet, avais-je la tête tournée que, presque en même
temps, j'entendis la motocyclette pétarader de nouveau et je
reçus un coup violent sur l'oreille. Avant que j'aie eu le temps
d'enregistrer ce qui s'était passé, la motocyclette s'éloigna. 10
Etourdi, je marchai machinalement vers d'Artagnan quand,
au même moment, un concert exaspéré d'avertisseurs s'éleva
de la file, devenue considérable, des véhicules. Le feu vert
revenait. Alors, encore un peu égaré, au lieu de secouer
l'imbécile qui m'avait interpellé, je retournai docilement vers 15
ma voiture et je démarrai, pendant qu'à mon passage l'imbécile me saluait d'un «pauvre type»[5] dont je me souviens
encore.

Histoire sans importance, direz-vous? Sans doute. Simplement, je mis longtemps à l'oublier, voilà l'important. J'avais 20
pourtant des excuses. Je m'étais laissé battre sans répondre,
mais on ne pouvait pas m'accuser de lâcheté. Surpris, interpellé des deux côtés, j'avais tout brouillé et les avertisseurs
avaient achevé ma confusion. Pourtant, j'en étais malheureux
comme si j'avais manqué à l'honneur. Je me revoyais, mon- 25
tant dans ma voiture, sans une réaction, sous les regards iro-
niques d'une foule d'autant plus ravie que je portais, je m'en
souviens, un costume bleu très élégant. J'entendais le «pauvre

[4] **Mousquetaire** autrefois soldat de l'infanterie armé d'un mousquet.
Gentilhomme d'une des deux compagnies à cheval de la maison du roi.
Le nom «mousquetaire» a été rendu célèbre par le roman d'Alexandre
Dumas, père, *Les Trois Mousquetaires*. De ces personnages, d'Artagnan
est resté le plus illustre.
[5] **Un pauvre type** expression populaire qui désigne un homme méprisa-
ble ou simplement médiocre.

type!» qui, tout de même, me paraissait justifié. Je m'étais en
somme dégonflé publiquement. Par suite d'un concours de
circonstances, il est vrai, mais il y a toujours des circonstances.
Après coup, j'apercevais clairement ce que j'eusse dû faire.
5   Je me voyais descendre d'Artagnan d'un bon crochet, remon-
ter dans ma voiture, poursuivre le sagouin qui m'avait frappé,
le rattraper, coincer sa machine contre un trottoir, le tirer à
l'écart et lui distribuer la raclée qu'il avait largement mé-
ritée. Avec quelques variantes, je tournai cent fois ce petit
10 film dans mon imagination. Mais il était trop tard, et je dévo-
rai pendant quelques jours un vilain ressentiment.

Tiens, la pluie tombe de nouveau. Arrêtons-nous, voulez-
vous, sous ce porche. Bon. Où en étais-je? Ah! oui, l'honneur!
Eh bien, quand je retrouvai le souvenir de cette aventure, je
15 compris ce qu'elle signifiait. En somme, mon rêve n'avait pas
résisté à l'épreuve des faits. J'avais rêvé, cela était clair maintenant, d'être un homme complet, qui se serait fait respecter
dans sa personne comme dans son métier. Moitié Cerdan,[6]
moitié de Gaulle,[7] si vous voulez. Bref, je voulais dominer en
20 toutes choses. C'est pourquoi je prenais des airs, je mettais
mes coquetteries à montrer mon habileté physique plutôt que
mes dons intellectuels. Mais, après avoir été frappé en public
sans réagir, il ne m'était plus possible de caresser cette belle
image de moi-même. Si j'avais été l'ami de la vérité et de
25 l'intelligence que je prétendais être, que m'eût fait cette
aventure déjà oubliée de ceux qui en avaient été les specta-
teurs? A peine me serais-je accusé de m'être fâché pour rien,
et aussi, étant fâché, de n'avoir pas su faire face aux conséquences de ma colère, faute de présence d'esprit. Au lieu de

[6] **Cerdan** (Marcel) nom du plus célèbre boxeur français immédiatement
après la deuxième guerre mondiale.
[7] **De Gaulle** (Charles) général français, chef des forces de la France
libre pendant la deuxième guerre mondiale, président de la Vème République.

cela, je brûlais de prendre ma revanche, de frapper et de vaincre. Comme si mon véritable désir n'était pas d'être la créature la plus intelligente ou la plus généreuse de la terre, mais seulement de battre qui je voudrais, d'être le plus fort enfin, et de la façon la plus élémentaire. La vérité est que tout homme intelligent, vous le savez bien, rêve d'être un gangster et de régner sur la société par la seule violence. Comme ce n'est pas aussi facile que peut le faire croire la lecture des romans spécialisés, on s'en remet généralement à la politique et l'on court au parti le plus cruel. Qu'importe, n'est-ce pas, d'humilier son esprit si l'on arrive par là à dominer tout le monde? Je découvrais en moi de doux rêves d'oppression.

J'apprenais du moins que je n'étais du côté des coupables, des accusés, que dans la mesure exacte où leur faute ne me causait aucun dommage. Leur culpabilité me rendait éloquent parce que je n'en étais pas la victime. Quand j'étais menacé, je ne devenais pas seulement un juge à mon tour, mais plus encore: un maître irascible qui voulait, hors de toute loi, assommer le délinquant et le mettre à genoux. Après cela, mon cher compatriote, il est bien difficile de continuer sérieusement à se croire une vocation de justice et le défenseur prédestiné de la veuve et de l'orphelin.

Puisque la pluie redouble et que nous avons le temps, oserais-je vous confier une nouvelle découverte que je fis, peu après, dans ma mémoire? Asseyons-nous à l'abri, sur ce banc. Il y a des siècles que des fumeurs de pipe y contemplent la même pluie tombant sur le même canal. Ce que j'ai à vous raconter est un peu plus difficile. Il s'agit, cette fois, d'une femme. Il faut d'abord savoir que j'ai toujours réussi, et sans grand effort, avec les femmes. Je ne dis pas réussir à les rendre heureuses, ni même à me rendre heureux par elles. Non, réussir, tout simplement. J'arrivais à mes fins, à peu près quand je voulais. On me trouvait du charme, imaginez cela!

Vous savez ce qu'est le charme: une manière de s'entendre
répondre oui sans avoir posé aucune question claire. Ainsi de
moi, à l'époque. Cela vous surprend? Allons, ne le niez pas.
Avec la tête qui m'est venue, c'est bien naturel. Hélas! après
5 un certain âge, tout homme est responsable de son visage. Le
mien... Mais qu'importe! Le fait est là, on me trouvait du
charme et j'en profitais.

Je n'y mettais cependant aucun calcul; j'étais de bonne foi,
ou presque. Mon rapport avec les femmes était naturel, aisé,
10 facile comme on dit. Il n'y entrait pas de ruse ou seulement
celle, ostensible, qu'elles considèrent comme un hommage.
Je les aimais, selon l'expression consacrée, ce qui revient à
dire que je n'en ai jamais aimé aucune. J'ai toujours trouvé
la misogynie vulgaire et sotte, et presque toutes les femmes
15 que j'ai connues, je les ai jugées meilleures que moi. Cependant, les plaçant si haut, je les ai utilisées plus souvent que
servies. Comment s'y retrouver?

Bien entendu, le véritable amour est exceptionnel, deux ou
trois par siècle à peu près. Le reste du temps, il y a la vanité
20 ou l'ennui. Pour moi, en tout cas, je n'étais pas la Religieuse
portugaise.[8] Je n'ai pas le cœur sec, il s'en faut, plein d'attendrissement au contraire, et la larme facile avec ça. Seulement,
mes élans se tournent toujours vers moi, mes attendrissements
me concernent. Il est faux, après tout, que je n'aie jamais
25 aimé. J'ai contracté dans ma vie au moins un grand amour,
dont j'ai toujours été l'objet. De ce point de vue, après les
inévitables difficultés du très jeune âge, j'avais été vite fixé:
la sensualité, et elle seule, régnait dans ma vie amoureuse. Je
cherchais seulement des objets de plaisir et de conquête. J'y
30 étais aidé d'ailleurs par ma complexion: la nature a été

---

[8] **Religieuse portugaise** récit romanesque en forme de lettres d'un amour
passionné entre une religieuse portugaise et un chevalier français. Le
roman fut publié anonymement en 1665.

généreuse avec moi. Je n'en étais pas peu fier et j'en tirais
beaucoup de satisfactions dont je ne saurais plus dire si elles
étaient de plaisir ou de prestige. Bon, vous allez dire que je
me vante encore. Je ne le nierai pas et j'en suis d'autant moins
fier qu'en ceci je me vante de ce qui est vrai.   5

Dans tous les cas, ma sensualité, pour ne parler que d'elle,
était si réelle que, même pour une aventure de dix minutes,
j'aurais renié père et mère, quitte à le regretter amèrement.
Que dis-je! Surtout pour une aventure de dix minutes et plus
encore si j'avais la certitude qu'elle serait sans lendemain.   10
J'avais des principes, bien sûr, et, par exemple, que la femme
des amis était sacrée. Simplement, je cessais, en toute sincérité,
quelques jours auparavant, d'avoir de l'amitié pour les maris.
Peut-être ne devrais-je pas appeler ceci de la sensualité? La
sensualité n'est pas répugnante, elle. Soyons indulgents et   15
parlons d'infirmité, d'une sorte d'incapacité congénitale à voir
dans l'amour autre chose que ce qu'on y fait. Cette infirmité,
après tout, était confortable. Conjuguée à ma faculté d'oubli,
elle favorisait ma liberté. Du même coup, par un certain air
d'éloignement et d'indépendance irréductible qu'elle me   20
donnait, elle me fournissait l'occasion de nouveaux succès. A
force de n'être pas romantique, je donnais un solide aliment
au romanesque. Nos amies, en effet, ont ceci de commun avec
Bonaparte qu'elles pensent toujours réussir là où tout le
monde a échoué.   25

Dans ce commerce, du reste, je satisfaisais encore autre
chose que ma sensualité: mon amour du jeu. J'aimais dans les
femmes les partenaires d'un certain jeu, qui avait le goût, au
moins, de l'innocence. Voyez-vous, je ne peux supporter de
m'ennuyer et je n'apprécie, dans la vie, que les récréations.   30
Toute société, même brillante, m'accable rapidement tandis
que je ne me suis jamais ennuyé avec les femmes qui me
plaisaient. J'ai de la peine à l'avouer, j'aurais donné dix en-

tretiens avec Einstein[9] pour un premier rendez-vous avec une
jolie figurante. Il est vrai qu'au dixième rendez-vous, je soupi-
rais après Einstein, ou de fortes lectures. En somme, je ne me
suis jamais soucié des grands problèmes que dans les inter-
5   valles de mes petits débordements. Et combien de fois, planté
sur le trottoir, au coeur d'une discussion passionnée avec des
amis, j'ai perdu le fil du raisonnement qu'on m'exposait parce
qu'une ravageuse, au même moment, traversait la rue.

  Donc, je jouais le jeu. Je savais qu'elles aimaient qu'on
10   n'allât pas trop vite au but. Il fallait d'abord de la conversation, de la tendresse, comme elles disent. Je n'étais pas en
peine de discours, étant avocat, ni de regards, ayant été, au
régiment, apprenti comédien. Je changeais souvent de rôle;
mais il s'agissait toujours de la même pièce. Par exemple, le
15   numéro de l'attirance incompréhensible, du «je ne sais quoi,»
du «il n'y a pas de raisons, je ne souhaitais pas d'être attiré,
j'étais pourtant lassé de l'amour, etc.» était toujours efficace,
bien qu'il soit un des plus vieux du répertoire. Il y avait aussi
celui du bonheur mystérieux qu'aucune autre femme ne vous
20   a jamais donné, qui est peut-être sans avenir, sûrement même
(car on ne saurait trop se garantir), mais qui, justement, est
irremplaçable. Surtout, j'avais perfectionné une petite tirade,
toujours bien reçue, et que vous applaudirez, j'en suis sûr.
L'essentiel de cette tirade tenait dans l'affirmation, doulou-
25   reuse et résignée, que je n'étais rien, ce n'était pas la peine
qu'on s'attachât à moi, ma vie était ailleurs, elle ne passait
pas par le bonheur de tous les jours, bonheur que, peut-être,
j'eusse préféré à toutes choses, mais voilà, il était trop tard.
Sur les raisons de ce retard décisif, je gardais le secret, sachant
30   qu'il est meilleur de coucher avec le mystère. Dans un sens,
d'ailleurs, je croyais à ce que je disais, je vivais mon rôle. Il
n'est pas étonnant alors que mes partenaires, elles aussi, se

---

[9] **Einstein** (Albert) grand physicien du XXᵉ siècle connu surtout pour
sa théorie de la relativité.

missent à brûler les planches.[10] Les plus sensibles de mes
amies s'efforçaient de me comprendre et cet effort les menait
à de mélancoliques abandons. Les autres, satisfaites de voir
que je respectais la règle du jeu et que j'avais la délicatesse de
parler avant d'agir, passaient sans attendre aux réalités.   5
J'avais alors gagné, et deux fois, puisque, outre le désir que
j'avais d'elles, je satisfaisais l'amour que je me portais, en
vérifiant chaque fois mes beaux pouvoirs.

Cela est si vrai que même s'il arrivait que certaines ne me
fournissent qu'un plaisir médiocre, je tâchais cependant de   10
renouer avec elles, de loin en loin, aidé sans doute par ce désir
singulier que favorise l'absence, suivie d'une complicité soudain retrouvée, mais aussi pour vérifier que nos liens tenaient
toujours et qu'il n'appartenait qu'à moi de les resserrer. Parfois, j'allais même jusqu'à leur faire jurer de n'appartenir à   15
aucun autre homme, pour apaiser, une fois pour toutes, mes
inquiétudes sur ce point. Le coeur pourtant n'avait point de
part à cette inquiétude, ni même l'imagination. Une certaine
sorte de prétention était en effet si incarnée en moi que j'avais
de la difficulté à imaginer, malgré l'évidence, qu'une femme   20
qui avait été à moi pût jamais appartenir à un autre. Mais
ce serment qu'elles me faisaient me libérait en les liant. Du
moment qu'elles n'appartiendraient à personne, je pouvais
alors me décider à rompre, ce qui, autrement, m'était presque
toujours impossible. La vérification, en ce qui les concernait,   25
était faite une fois pour toutes, mon pouvoir assuré pour
longtemps. Curieux, non? C'est ainsi pourtant, mon cher compatriote. Les uns crient: «Aime-moi!» Les autres: «Ne m'aime
pas!» Mais une certaine race, la pire et la plus malheureuse:
«Ne m'aime pas et sois-moi fidèle!»   30

Seulement, voilà, la vérification n'est jamais définitive, il
faut la recommencer avec chaque être. A force de recom-

---

[10] **Brûler les planches** se dit d'un acteur qui joue avec une chaleur ex-
cessive.

mencer, on contracte des habitudes. Bientôt le discours vous
vient sans y penser, le réflexe suit: on se trouve un jour dans
la situation de prendre sans vraiment désirer. Croyez-moi,
pour certains êtres, au moins, ne pas prendre ce qu'on ne
5   désire pas est la chose la plus difficile du monde.

C'est ce qui arriva un jour et il n'est pas utile de vous dire
qui elle était, sinon que, sans me troubler vraiment, elle
m'avait attiré, par son air passif et avide. Franchement, ce fut
médiocre, comme il fallait s'y attendre. Mais je n'ai jamais
10 eu de complexes et j'oubliai bien vite la personne, que je ne
revis plus. Je pensais qu'elle ne s'était aperçue de rien, et je
n'imaginais même pas qu'elle pût avoir une opinion. D'ailleurs, son air passif la retranchait du monde à mes yeux.
Quelques semaines après, pourtant, j'appris qu'elle avait
15 confié à un tiers mes insuffisances. Sur le coup, j'eus le sentiment d'avoir été un peu trompé; elle n'était pas si passive
que je le croyais, le jugement ne lui manquait pas. Puis je
haussai les épaules et fis mine de rire. J'en ris tout à fait
même; il était clair que cet incident était sans importance.
20 S'il est un domaine où la modestie devrait être la règle, n'est-
ce pas la sexualité, avec tout ce qu'elle a d'imprévisible? Mais
non, c'est à qui sera le plus avantageux, même dans la solitude. Malgré mes haussements d'épaules, quelle fut, en effet,
ma conduite? Je revis un peu plus tard cette femme, je fis ce
25 qu'il fallait pour la séduire, et la reprendre vraiment. Ce ne
fut pas très difficile: elles non plus n'aiment pas rester sur un
échec. Dès cet instant, sans le vouloir clairement, je me mis,
en fait, à la mortifier de toutes les façons. Je l'abandonnais
et la reprenais, la forçais à se donner dans des temps et des
30 lieux qui ne s'y prêtaient pas, la traitais de façon si brutale,
dans tous les domaines, que je finis par m'attacher à elle
comme j'imagine que le geôlier se lie à son prisonnier. Et
cela jusqu'au jour où, dans le violent désordre d'un plaisir
douloureux et contraint, elle rendit hommage à voix haute

à ce qui l'asservissait. Ce jour-là, je commençai de m'éloigner d'elle. Depuis, je l'ai oubliée.

Je conviendrai avec vous, malgré votre courtois silence, que cette aventure n'est pas très reluisante. Songez pourtant à votre vie, mon cher compatriote! Creusez votre mémoire, peut- 5 être y trouverez-vous quelque histoire semblable que vous me conterez plus tard. Quant à moi, lorsque cette affaire me revint à l'esprit, je me mis encore à rire. Mais c'était d'un autre rire, assez semblable à celui que j'avais entendu sur le pont des Arts. Je riais de mes discours et de mes plaidoiries. Plus 10 encore de mes plaidoiries, d'ailleurs, que de mes discours aux femmes. A celles-ci, du moins, je mentais peu. L'instinct parlait clairement, sans faux-fuyants, dans mon attitude. L'acte d'amour, par exemple, est un aveu. L'égoïsme y crie, ostensiblement, la vanité s'y étale, ou bien la vraie générosité s'y 15 révèle. Finalement, dans cette regrettable histoire, mieux encore que dans mes autres intrigues, j'avais été plus franc que je ne pensais, j'avais dit qui j'étais, et comment je pouvais vivre. Malgré les apparences, j'étais donc plus digne dans ma vie privée, même, et surtout, quand je me conduisais comme 20 je vous l'ai dit, que dans mes grandes envolées professionnelles sur l'innocence et la justice. Du moins, me voyant agir avec les êtres, je ne pouvais pas me tromper sur la vérité de ma nature. Nul homme n'est hypocrite dans ses plaisirs, ai-je lu cela ou l'ai-je pensé, mon cher compatriote? 25

Quand je considérais, ainsi, la difficulté que j'avais à me séparer définitivement d'une femme, difficulté qui m'amenait à tant de liaisons simultanées, je n'en accusais pas la tendresse de mon coeur. Ce n'était pas elle qui me faisait agir, lorsque l'une de mes amies se lassait d'attendre l'Austerlitz[11] de notre 30 passion et parlait de se retirer. Aussitôt, c'était moi qui faisais

[11] **L'Austerlitz de notre passion** ici Clamence ironise. C'est à Austerlitz que Napoléon remporta l'une de ses plus éclatantes victoires. Austerlitz veut donc dire ici: le triomphe final de notre passion.

un pas en avant, qui concédais, qui devenais éloquent. La
tendresse, et la douce faiblesse d'un coeur, je les réveillais en
elles, n'en ressentant moi-même que l'apparence, simplement
un peu excité par ce refus, alarmé aussi par la possible perte
5   d'une affection. Parfois, je croyais souffrir véritablement, il
est vrai. Il suffisait pourtant que la rebelle partît vraiment
pour que je l'oubliasse sans effort, comme je l'oubliais près
de moi quand elle avait décidé, au contraire, de revenir. Non,
ce n'était pas l'amour, ni la générosité qui me réveillait lors-
10 que j'étais en danger d'être abandonné, mais seulement le
désir d'être aimé et de recevoir ce qui, selon moi, m'était dû.
Aussitôt aimé, et ma partenaire à nouveau oubliée, je relui-
sais, j'étais au mieux, je devenais sympathique.

Notez d'ailleurs que cette affection, dès que je l'avais re-
15 gagnée, j'en ressentais le poids. Dans mes moments d'agacement, je me disais alors que la solution idéale eût été la mort
pour la personne qui m'intéressait. Cette mort eût définitivement fixé notre lien, d'une part, et, de l'autre, lui eût ôté sa
contrainte. Mais on ne peut souhaiter la mort de tout le
20 monde ni, à la limite, dépeupler la planète pour jouir d'une
liberté inimaginable autrement. Ma sensibilité s'y opposait,
et mon amour des hommes.

Le seul sentiment profond qu'il m'arrivât d'éprouver dans
ces intrigues était la gratitude, quand tout marchait bien et
25 qu'on me laissait, en même temps que la paix, la liberté
d'aller et de venir, jamais plus gentil et gai avec l'une que
lorsque je venais de quitter le lit d'une autre, comme si
j'étendais à toutes les autres femmes la dette que je venais
de contracter près de l'une d'elles. Quelle que fût, d'ailleurs,
30 la confusion apparente de mes sentiments, le résultat que
j'obtenais était clair: je maintenais toutes mes affections autour de moi pour m'en servir quand je le voulais. Je ne pouvais donc vivre, de mon aveu même, qu'à la condition que,
sur toute la terre, tous les êtres, ou le plus grand nombre

possible, fussent tournés vers moi, éternellement vacants,
privés de vie indépendante, prêts à répondre à mon appel à
n'importe quel moment, voués enfin à la stérilité, jusqu'au
jour où je daignerais les favoriser de ma lumière. En somme,
pour que je vive heureux, il fallait que les êtres que j'élisais   5
ne vécussent point. Ils ne devaient recevoir leur vie, de loin
en loin, que de mon bon plaisir.

Ah! je ne mets aucune complaisance, croyez-le bien, à vous
raconter cela. Quand je pense à cette période où je demandais
tout sans rien payer moi-même, où je mobilisais tant d'êtres   10
à mon service, où je les mettais en quelque sorte au frigidaire,
pour les avoir un jour ou l'autre sous la main, à ma convenance, je ne sais comment nommer le curieux sentiment qui
me vient. Ne serait-ce pas la honte? La honte, dites-moi, mon
cher compatriote, ne brûle-t-elle pas un peu? Oui? Alors, il   15
s'agit peut-être d'elle, ou d'un de ces sentiments ridicules qui
concernent l'honneur. Il me semble en tout cas que ce sentiment ne m'a plus quitté depuis cette aventure que j'ai trouvée
au centre de ma mémoire et dont je ne peux différer plus
longtemps le récit, malgré mes digressions et les efforts d'une   20
invention à laquelle, je l'espère, vous rendez justice.

Tiens, la pluie a cessé! Ayez la bonté de me raccompagner
chez moi. Je suis fatigué, étrangement, non d'avoir parlé, mais
à la seule idée de ce qu'il me faut encore dire. Allons! Quelques mots suffiront pour retracer ma découverte essentielle.   25
Pourquoi en dire plus, d'ailleurs? Pour que la statue soit nue,
les beaux discours doivent s'envoler. Voici. Cette nuit-là, en
novembre, deux ou trois ans avant le soir où je crus entendre
rire dans mon dos, je regagnais la rive gauche, et mon domi-
cile, par le pont Royal.[12] Il était une heure après minuit, une   30
petite pluie tombait, une bruine plutôt, qui dispersait les
rares passants. Je venais de quitter une amie qui, sûrement,

[12] **Pont Royal** voir la carte, p. 41; second pont a l'ouest du pont des
Arts.

dormait déjà. J'étais heureux de cette marche, un peu en-
gourdi, le corps calmé, irrigué par un sang doux comme la
pluie qui tombait. Sur le pont, je passai derrière une forme
penchée sur le parapet, et qui semblait regarder le fleuve.
5   De plus près, je distinguai une mince jeune femme, habillée
de noir. Entre les cheveux sombres et le col du manteau, on
voyait seulement une nuque, fraîche et mouillée, à laquelle
je fus sensible. Mais je poursuivis ma route, après une hési-
tation. Au bout du pont, je pris les quais en direction de
10 Saint-Michel,[13] où je demeurais. J'avais déjà parcouru une
cinquantaine de mètres à peu près, lorsque j'entendis le bruit,
qui, malgré la distance, me parut formidable dans le silence
nocturne, d'un corps qui s'abat sur l'eau. Je m'arrêtai net,
mais sans me retourner. Presque aussitôt, j'entendis un cri,
15 plusieurs fois répété, qui descendait lui aussi le fleuve, puis
s'éteignit brusquement. Le silence qui suivit, dans la nuit
soudain figée, me parut interminable. Je voulus courir et je
ne bougeai pas. Je tremblais, je crois, de froid et de saisissement. Je me disais qu'il fallait faire vite et je sentais une
20 faiblesse irrésistible envahir mon corps. J'ai oublié ce que
j'ai pensé alors. «Trop tard, trop loin...» ou quelque chose de
ce genre. J'écoutais toujours, immobile. Puis, à petits pas,
sous la pluie, je m'éloignai. Je ne prévins personne.

Mais nous sommes arrivés, voici ma maison, mon abri!
25 Demain? Oui, comme vous voudrez. Je vous mènerai volontiers à l'île de Marken, vous verrez le Zuyderzee. Rendez-vous
à onze heures à *Mexico-City*. Quoi? Cette femme? Ah, je ne
sais pas, vraiment, je ne sais pas. Ni le lendemain, ni les jours
qui suivirent, je n'ai lu les journaux.

---

[13] **Saint-Michel** la Place St. Michel est située sur la rive gauche, au bord
de la Seine, à l'extrémité du Boulevard Saint-Michel. Voir la carte, p.
41.

∾ IV ∾

Un village de poupée, ne trouvez-vous pas? Le pittoresque ne lui a pas été épargné! Mais je ne vous ai pas conduit dans cette île pour le pittoresque, cher ami. Tout le monde peut vous faire admirer des coiffes, des sabots, et des maisons décorées où les pêcheurs fument du tabac fin dans l'odeur de l'encaustique. Je suis un des rares, au contraire, à pouvoir vous montrer ce qu'il y a d'important ici.

Nous atteignons la digue. Il faut la suivre pour être aussi loin que possible de ces trop gracieuses maisons. Asseyons-nous, je vous en prie. Qu'en dites-vous? Voilà, n'est-ce pas, le plus beau des paysages négatifs! Voyez, à notre gauche, ce tas de cendres qu'on appelle ici une dune, la digue grise à notre droite, la grève livide à nos pieds et, devant nous, la mer couleur de lessive faible, le vaste ciel où se reflètent les eaux

blêmes. Un enfer mou, vraiment! Rien que des horizontales,
aucun éclat, l'espace est incolore, la vie morte. N'est-ce pas
l'effacement universel, le néant sensible aux yeux? Pas
d'hommes, surtout, pas d'hommes! Vous et moi, seulement,
5   devant la planète enfin déserte! Le ciel vit? Vous avez raison,
cher ami. Il s'épaissit, puis se creuse, ouvre des escaliers d'air,
ferme des portes de nuées. Ce sont les colombes. N'avez-vous
pas remarqué que le ciel de Hollande est rempli de millions
de colombes, invisibles tant elles se tiennent haut, et qui
10   battent des ailes, montent et descendent d'un même mouvement, remplissant l'espace céleste avec des flots épais de
plumes grisâtres que le vent emporte ou ramène. Les colombes attendent là-haut, elles attendent toute l'année. Elles
tournent au-dessus de la terre, regardent, voudraient descen-
15   dre. Mais il n'y a rien, que la mer et les canaux, des toits couverts d'enseignes, et nulle tête où se poser.

Vous ne comprenez pas ce que je veux dire? Je vous avouerai ma fatigue. Je perds le fil de mes discours, je n'ai plus
cette clarté d'esprit à laquelle mes amis se plaisaient à rendre
20   hommage. Je dis mes amis, d'ailleurs, pour le principe. Je
n'ai plus d'amis, je n'ai que des complices. En revanche, leur
nombre a augmenté, ils sont le genre humain. Et dans le
genre humain, vous le premier. Celui qui est là est toujours
le premier. Comment je sais que je n'ai pas d'amis? C'est très
25   simple: je l'ai découvert le jour où j'ai pensé à me tuer pour
leur jouer une bonne farce, pour les punir, en quelque sorte.
Mais punir qui? Quelques-uns seraient surpris; personne ne
se sentirait puni. J'ai compris que je n'avais pas d'amis. Du
reste, même si j'en avais eu, je n'en serais pas plus avancé.
30   Si j'avais pu me suicider et voir ensuite leur tête, alors, oui,
le jeu en eût valu[1] la chandelle. Mais la terre est obscure,

[1] **Eût valu** aurait valu.

cher ami, le bois épais, opaque le linceul. Les yeux de l'âme,
oui, sans doute, s'il y a une âme et si elle a des yeux! Mais
voilà, on n'est pas sûr, on n'est jamais sûr. Sinon, il y aurait
une issue, on pourrait enfin se faire prendre au sérieux. Les
hommes ne sont convaincus de vos raisons, de votre sincérité,   5
et de la gravité de vos peines, que par votre mort. Tant que
vous êtes en vie, votre cas est douteux, vous n'avez droit qu'à
leur scepticisme. Alors, s'il y avait une seule certitude qu'on
puisse jouir du spectacle, cela vaudrait la peine de leur prouver ce qu'ils ne veulent pas croire, et de les étonner. Mais   10
vous vous tuez et qu'importe qu'ils vous croient ou non: vous
n'êtes pas là pour recueillir leur étonnement et leur contri-
tion, d'ailleurs fugace, pour assister enfin, selon le rêve de
chaque homme, à vos propres funérailles. Pour cesser d'être
douteux, il faut cesser d'être, tout bellement.   15

Du reste, n'est-ce pas mieux ainsi? Nous souffririons trop
de leur indifférence. «Tu me la paieras!» disait une fille à
son père qui l'avait empêchée de se marier à un soupirant
trop bien peigné. Et elle se tua. Mais le père n'a rien payé du
tout. Il adorait la pêche au lancer. Trois dimanches après, il   20
retournait à la rivière, pour oublier, disait-il. Le calcul était
juste, il oublia. A vrai dire, c'est le contraire qui eût surpris.
On croit mourir pour punir sa femme, et on lui rend la liberté. Autant ne pas voir ça. Sans compter qu'on risquerait
d'entendre les raisons qu'ils donnent de votre geste. Pour ce   25
qui me concerne, je les entends déjà: «Il s'est tué parce qu'il
n'a pu supporter de...» Ah! cher ami, que les hommes sont
pauvres en invention. Ils croient toujours qu'on se suicide
pour une raison. Mais on peut très bien se suicider pour deux
raisons. Non, ça ne leur entre pas dans la tête. Alors, à quoi   30
bon mourir volontairement, se sacrifier à l'idée qu'on veut
donner de soi? Vous mort, ils en profiteront pour donner à
votre geste des motifs idiots, ou vulgaires. Les martyrs, cher

ami, doivent choisir d'être oubliés, raillés ou utilisés. Quant à être compris, jamais.

Et puis, allons droit au but, j'aime la vie, voilà ma vraie faiblesse. Je l'aime tant que je n'ai aucune imagination pour ce qui n'est pas elle. Une telle avidité a quelque chose de plébéien, vous ne trouvez pas? L'aristocratie ne s'imagine pas sans un peu de distance à l'égard de soi-même et de sa propre vie. On meurt s'il le faut, on rompt plutôt que de plier.[2] Mais moi, je plie, parce que je continue de m'aimer. Tenez, après tout ce que je vous ai raconté, que croyez-vous qu'il me soit venu? Le dégoût de moi-même? Allons donc, c'était surtout des autres que j'étais dégoûté. Certes, je connaissais mes défaillances et je les regrettais. Je continuais pourtant de les oublier, avec une obstination assez méritoire. Le procès des autres, au contraire, se faisait sans trêve dans mon coeur. Certainement, cela vous choque? Vous pensez peut-être que ce n'est pas logique? Mais la question n'est pas de rester logique. La question est de glisser au travers, et surtout, oh! oui, surtout, la question est d'éviter le jugement. Je ne dis pas d'éviter le châtiment. Car le châtiment sans jugement est supportable. Il a un nom d'ailleurs qui garantit notre innocence: le malheur. Non, il s'agit au contraire de couper au jugement, d'éviter d'être toujours jugé, sans que jamais la sentence soit prononcée.

Mais on n'y coupe pas si facilement. Pour le jugement, aujourd'hui, nous sommes toujours prêts, comme pour la fornication. Avec cette différence qu'il n'y a pas à craindre de défaillances. Si vous en doutez, prêtez l'oreille aux propos

[2] **Rompt...plier** cf. La Fontaine, «Le Chêne et le roseau» vv. 20-21 (le roseau parle du chêne):

Les vents me sont moins qu'à vous redoutables
Je plie, et ne romps pas

et aussi Pascal: «L'homme n'est qu'un roseau, le plus faible de la nature; mais c'est un roseau pensant....»

de table, pendant le mois d'août, dans ces hôtels de villégia-
ture où nos charitables compatriotes viennent faire leur cure
d'ennui. Si vous hésitez encore à conclure, lisez donc les écrits
de nos grands hommes du moment. Ou bien observez votre
propre famille, vous serez édifié. Mon cher ami, ne leur don-   5
nons pas de prétexte à nous juger, si peu que ce soit! Ou
sinon, nous voilà en pièces. Nous sommes obligés aux mêmes
prudences que le dompteur. S'il a le malheur, avant d'entrer
dans la cage, de se couper avec son rasoir, quel gueuleton
pour les fauves! J'ai compris cela d'un coup, le jour où le   10
soupçon m'est venu que, peut-être, je n'étais pas si admirable.
Dès lors, je suis devenu méfiant. Puisque je saignais un peu,
j'y passerais tout entier: ils allaient me dévorer.

Mes rapports avec mes contemporains étaient les mêmes,
en apparence, et pourtant devenaient subtilement désaccor-   15
dés. Mes amis n'avaient pas changé. Ils vantaient toujours, à
l'occasion, l'harmonie et la sécurité qu'on trouvait auprès de
moi. Mais je n'étais sensible qu'aux dissonances, au désordre
qui m'emplissait; je me sentais vulnérable, et livré à l'accusa-
tion publique. Mes semblables cessaient d'être à mes yeux   20
l'auditoire respectueux dont j'avais l'habitude. Le cercle dont
j'étais le centre se brisait et ils se plaçaient sur une seule
rangée, comme au tribunal. A partir du moment où j'ai ap-
préhendé qu'il y eût en moi quelque chose à juger, j'ai compris, en somme, qu'il y avait en eux une vocation irrésistible   25
de jugement. Qui, ils étaient là, comme avant, mais ils riaient.
Ou plutôt il me semblait que chacun de ceux que je rencontrais me regardait avec un sourire caché. J'eus même l'impression, à cette époque, qu'on me faisait des crocs-en-jambe.[3]
Deux ou trois fois, en effet, je butai, sans raison, en entrant   30
dans des endroits publics. Une fois même, je m'étalai. Le

[3] **Crocs-en-jambe** *s.m.* manière de faire tomber quelqu'un en passant le
pied entre ses jambes.

Français cartésien[4] que je suis eut vite fait de se reprendre
et d'attribuer ces accidents à la seule divinité raisonnable, je
veux dire le hasard. N'importe, il me restait de la défiance.

Mon attention éveillée, il ne me fut pas difficile de décou-
5 vrir que j'avais des ennemis. Dans mon métier d'abord, et
puis dans ma vie mondaine. Pour les uns, je les avais obligés.
Pour d'autres, j'aurais dû les obliger. Tout cela, en somme,
était dans l'ordre et je le découvris sans trop de chagrin. Il
me fut plus difficile et douloureux, en revanche, d'admettre
10 que j'avais des ennemis parmi des gens que je connaissais à
peine, ou pas du tout. J'avais toujours pensé, avec l'ingénuité
dont je vous ai donné quelques preuves, que ceux qui ne me
connaissaient pas ne pourraient s'empêcher de m'aimer s'ils
venaient à me fréquenter. Eh bien, non! Je rencontrai des
15 inimitiés surtout parmi ceux qui ne me connaissaient que de
très loin, et sans que je les connusse moi-même. Sans doute
me soupçonnaient-ils de vivre pleinement et dans un libre
abandon au bonheur: cela ne se pardonne pas. L'air de la
réussite, quand il est porté d'une certaine manière, rendrait
20 un âne enragé. Ma vie, d'autre part, était pleine à craquer et,
par manque de temps, je refusais beaucoup d'avances. J'oubliais ensuite, pour la même raison, mes refus. Mais ces
avances m'avaient été faites par des gens dont la vie n'était
pas pleine et qui, pour cette même raison, se souvenaient de
25 mes refus.

C'est ainsi, pour ne prendre qu'un exemple, que les femmes,
au bout du compte, me coûtaient cher. Le temps que je leur
consacrais, je ne pouvais le donner aux hommes, qui ne me
le pardonnaient pas toujours. Comment s'en tirer? On ne
30 vous pardonne votre bonheur et vos succès que si vous con-
sentez généreusement à les partager. Mais pour être heureux,
il ne faut pas trop s'occuper des autres. Dès lors, les issues

_____

[4] **Le Français cartésien** c'est-à-dire rationaliste selon la philosophie de
René Descartes.

sont fermées. Heureux et jugé, ou absous et misérable. Quant
à moi, l'injustice était plus grande: j'étais condamné pour des
bonheurs anciens. J'avais vécu longtemps dans l'illusion d'un
accord général, alors que, de toutes parts, les jugements, les
flèches et les railleries fondaient sur moi, distrait et souriant.   5
Du jour où je fus alerté, la lucidité me vint, je reçus toutes
les blessures en même temps et je perdis mes forces d'un seul
coup. L'univers entier se mit alors à rire autour de moi.

Voilà ce qu'aucun homme (sinon ceux qui ne vivent pas,
je veux dire les sages) ne peut supporter. La seule parade est   10
dans la méchanceté. Les gens se dépêchent alors de juger pour
ne pas l'être eux-mêmes. Que voulez-vous? L'idée la plus
naturelle à l'homme, celle qui lui vient naïvement, comme du
fond de sa nature, est l'idée de son innocence. De ce point de
vue, nous sommes tous comme ce petit Français qui, à Bu-   15
chenwald,[5] s'obstinait à vouloir déposer une réclamation auprès du scribe, lui-même prisonnier, et qui enregistrait son
arrivée. Une réclamation? Le scribe et ses camarades riaient:
«Inutile, mon vieux. On ne réclame pas, ici.» «C'est que,
voyez-vous, monsieur, disait le petit Français, mon cas est ex-   20
ceptionnel. Je suis innocent!»

Nous sommes tous des cas exceptionnels. Nous voulons tous
faire appel de quelque chose! Chacun exige d'être innocent,
à tout prix, même si, pour cela, il faut accuser le genre humain et le ciel. Vous réjouirez médiocrement un homme en   25
lui faisant compliment des efforts grâce auxquels il est devenu
intelligent ou généreux. Il s'épanouira au contraire si vous
admirez sa générosité naturelle. Inversement, si vous dites à
un criminel que sa faute ne tient pas à sa nature ni à son
caractère, mais à de malheureuses circonstances, il vous en   30
sera violemment reconnaissant. Pendant la plaidoirie, il choi-
sira même ce moment pour pleurer. Pourtant, il n'y a pas de

[5] **Buchenwald** infâme camp de concentration nazi pendant la deuxième
guerre mondiale.

mérite à être honnête, ni intelligent, de naissance. Comme on
n'est sûrement pas plus responsable à être criminel de nature
qu'à l'être de circonstance. Mais ces fripons veulent la grâce,
c'est-à-dire l'irresponsabilité, et ils excipent sans vergogne des
5   justifications de la nature ou des excuses des circonstances,
même si elles sont contradictoires. L'essentiel est qu'ils soient
innocents, que leurs vertus, par grâce de naissance ne puissent
être mises en doute, et que leurs fautes, nées d'un malheur
passager, ne soient jamais que provisoires. Je vous l'ai dit, il
10 s'agit de couper au jugement. Comme il est difficile d'y couper, délicat de faire en même temps admirer et excuser sa
nature, ils cherchent tous à être riches. Pourquoi? Vous l'êtes-
vous demandé? Pour la puissance, bien sûr. Mais surtout
parce que la richesse soustrait au jugement immédiat, vous
15 retire de la foule du métro pour vous enfermer dans une
carrosserie nickelée, vous isole dans de vastes parcs gardés, des
wagons-lits, des cabines de luxe. La richesse, cher ami, ce n'est
pas encore l'acquittement, mais le sursis, toujours bon à
prendre...

20   Surtout, ne croyez pas vos amis, quand ils vous demande-
ront d'être sincère avec eux. Ils espèrent seulement que vous
les entretiendrez dans la bonne idée qu'ils ont d'eux-mêmes,
en les fournissant d'une certitude supplémentaire qu'ils pui-
seront dans votre promesse de sincérité. Comment la sincérité
25 serait-elle une condition de l'amitié? Le goût de la vérité à
tout prix est une passion qui n'épargne rien et à quoi rien
ne résiste. C'est un vice, un confort parfois, ou un égoïsme.
Si, donc, vous vous trouvez dans ce cas, n'hésitez pas: pro-
mettez d'être vrai et mentez le mieux possible. Vous répon-
30 drez à leur désir profond et leur prouverez doublement votre
affection.

     C'est si vrai que nous nous confions rarement à ceux qui
sont meilleurs que nous. Nous fuirions plutôt leur société.
Le plus souvent, au contraire, nous nous confessons à ceux

qui nous ressemblent et qui partagent nos faiblesses. Nous
ne désirons donc pas nous corriger, ni être améliorés: il faudrait d'abord que nous fussions jugés défaillants. Nous sou-
haitons seulement être plaints et encouragés dans notre voie.
En somme, nous voudrions, en même temps, ne plus être   5
coupables et ne pas faire l'effort de nous purifier. Pas assez
de cynisme et pas assez de vertu. Nous n'avons ni l'énergie du
mal, ni celle du bien. Connaissez-vous Dante? Vraiment?
Diable. Vous savez donc que Dante admet des anges neutres[6]
dans la querelle entre Dieu et Satan. Et il les place dans les   10
Limbes, une sorte de vestibule de son enfer. Nous sommes
dans le vestibule, cher ami.

De la patience? Vous avez raison, sans doute. Il nous faudrait la patience d'attendre le jugement dernier. Mais voilà,
nous sommes pressés. Si pressés même que j'ai été obligé de   15
me faire juge-pénitent. Cependant, j'ai dû d'abord m'arranger
de mes découvertes et me mettre en règle avec le rire de mes
contemporains. A partir du soir où j'ai été appelé, car j'ai été
appelé réellement, j'ai dû répondre ou du moins chercher la
réponse. Ce n'était pas facile; j'ai longtemps erré. Il a fallu   20
d'abord que ce rire perpétuel, et les rieurs, m'apprissent à
voir plus clair en moi, à découvrir enfin que je n'étais pas
simple. Ne souriez pas, cette vérité n'est pas aussi première
qu'elle paraît. On appelle vérités premières celles qu'on découvre après toutes les autres, voilà tout.   25

Toujours est-il qu'après de longues études sur moi-même,
j'ai mis au jour la duplicité profonde de la créature. J'ai compris alors, à force de fouiller dans ma mémoire, que la modestie m'aidait à briller, l'humilité à vaincre et la vertu à
opprimer. Je faisais la guerre par des moyens pacifiques et   30
j'obtenais enfin, par les moyens du désintéressement, tout ce
que je convoitais. Par exemple, je ne me plaignais jamais

<hr/>

[6] **Anges neutres** ceux que Dante a trouvés dans les limbes (*Inferno* III
vv. 22-69).

qu'on oubliât la date de mon anniversaire; on s'étonnait même, avec une pointe d'admiration, de ma discrétion à ce sujet. Mais la raison de mon désintéressement était encore plus discrète: je désirais être oublié afin de pouvoir m'en plaindre à moi-même. Plusieurs jours avant la date, entre toutes glorieuse, que je connaissais bien, j'étais aux aguets, attentif à ne rien laisser échapper qui puisse éveiller l'attention et la mémoire de ceux dont j'escomptais la défaillance (n'ai-je pas eu un jour l'intention de truquer un calendrier d'appartement?). Ma solitude bien démontrée, je pouvais alors m'abandonner aux charmes d'une virile tristesse.

La face de toutes mes vertus avait ainsi un revers moins imposant. Il est vrai que, dans un autre sens, mes défauts tournaient à mon avantage. L'obligation où je me trouvais de cacher la partie vicieuse de ma vie me donnait par exemple un air froid que l'on confondait avec celui de la vertu, mon indifférence me valait d'être aimé, mon égoïsme culminait dans mes générosités. Je m'arrête: trop de symétrie nuirait à ma démonstration. Mais quoi, je me faisais dur et je n'ai jamais pu résister à l'offre d'un verre ni d'une femme! Je passais pour actif, énergique, et mon royaume était le lit. Je criais ma loyauté et il n'est pas, je crois, un seul des êtres que j'aie aimés que, pour finir, je n'aie aussi trahi. Bien sûr, mes trahisons n'empêchaient pas ma fidélité, j'abattais un travail considérable à force d'indolences, je n'avais jamais cessé d'aider mon prochain, grâce au plaisir que j'y trouvais. Mais j'avais beau me répéter ces évidences, je n'en tirais que de superficielles consolations. Certains matins, j'instruisais mon procès jusqu'au bout et j'arrivais à la conclusion que j'excellais surtout dans le mépris. Ceux mêmes que j'aidais le plus souvent étaient le plus méprisés. Avec courtoisie, avec une solidarité pleine d'émotion, je crachais tous les jours à la figure de tous les aveugles.

Franchement, y a-t-il une excuse à cela? Il y en a une, mais si misérable que je ne puis songer à la faire valoir. En tout cas, voilà: je n'ai jamais pu croire profondément que les affaires humaines fussent choses sérieuses. Où était le sérieux, je n'en savais rien, sinon qu'il n'était pas dans tout ceci que 5 je voyais et qui m'apparaissait seulement comme un jeu amusant, ou importun. Il y a vraiment des efforts et des convictions que je n'ai jamais compris. Je regardais toujours d'un air étonné, et un peu soupçonneux, ces étranges créatures qui mouraient pour de l'argent, se désespéraient pour la perte 10 d'une «situation» ou se sacrifiaient avec de grands airs pour la prospérité de leur famille. Je comprenais mieux cet ami qui s'était mis en tête de ne plus fumer et, à force de volonté, y avait réussi. Un matin, il ouvrit le journal, lut que la première bombe H avait explosé, s'instruisit de ses admirables 15 effets et entra sans délai dans un bureau de tabac.

Sans doute, je faisais mine, parfois, de prendre la vie au sérieux. Mais, bien vite, la frivolité du sérieux lui-même m'apparaissait et je continuais seulement de jouer mon rôle, aussi bien que je pouvais. Je jouais à être efficace, intelligent, 20 vertueux, civique, indigné, indulgent, solidaire, édifiant... Bref, je m'arrête, vous avez déjà compris que j'étais comme mes Hollandais qui sont là sans y être: j'étais absent au moment où je tenais le plus de place. Je n'ai vraiment été sincère et enthousiaste qu'au temps où je faisais du sport, et, au 25 régiment, quand je jouais dans les pièces que nous représentions pour notre plaisir. Il y avait dans les deux cas une règle du jeu, qui n'était pas sérieuse, et qu'on s'amusait à prendre pour telle. Maintenant encore, les matches du dimanche, dans un stade plein à craquer, et le théâtre, que j'ai aimé 30 avec une passion sans égale, sont les seuls endroits du monde où je me sente innocent.

Mais qui admettrait qu'une pareille attitude soit légitime

quand il s'agit de l'amour, de la mort et du salaire des misérables? Que faire pourtant? Je n'imaginais l'amour d'Yseult[7] que dans les romans ou sur une scène. Les agonisants me paraissaient parfois pénétrés de leurs rôles. Les répliques de
5 mes clients pauvres me semblaient toujours conformes au même canevas. Dès lors, vivant parmi les hommes sans partager leurs intérêts, je ne parvenais pas à croire aux engagements que je prenais. J'étais assez courtois, et assez indolent, pour répondre à ce qu'ils attendaient de moi dans mon mé-
10 tier, ma famille ou ma vie de citoyen, mais, chaque fois, avec une sorte de distraction, qui finissait par tout gâter. J'ai vécu ma vie entière sous un double signe et mes actions les plus graves ont été souvent celles où j'étais le moins engagé. N'était-ce pas cela, après tout, que, pour ajouter à mes bêtises,
15 je n'ai pu me pardonner, qui m'a fait regimber avec le plus de violence contre le jugement que je sentais à l'oeuvre, en moi et autour de moi, et qui m'a obligé à chercher une issue?

Pendant quelque temps, et en apparence, ma vie continua comme si rien n'était changé. J'étais sur des rails et je roulais.
20 Comme par un fait exprès, les louanges redoublaient autour de moi. Justement, le mal vint de là. Vous vous rappelez: «Malheur à vous quand tous les hommes diront du bien de vous!»[8] Ah! celui-là parlait d'or! Malheur à moi! La machine se mit donc à avoir des caprices, des arrêts inexplicables.
25 C'est à ce moment que la pensée de la mort fit irruption dans ma vie quotidienne. Je mesurais les années qui me séparaient de ma fin. Je cherchais des exemples d'hommes de mon âge qui fussent déjà morts. Et j'étais tourmenté par l'idée que je n'aurais pas le temps d'accomplir ma tâche. Quelle tâche?

[7] **Yseult** héroïne de la célèbre légende médiévale de Tristan et Yseult. Est restée le modèle des amoureuses passionnées. Richard Wagner fit de cette légende le sujet de l'un de ses opéras.
[8] **«Malheur à vous...vous!»** cf. Luc VI, 26: «Malheur à vous quand tout le monde dira du bien de vous....»

Je n'en savais rien. A franchement parler, ce que je faisais
valait-il la peine d'être continué? Mais ce n'était pas exactement cela. Une crainte ridicule me poursuivait, en effet: on
ne pouvait mourir sans avoir avoué tous ses mensonges. Non
pas à Dieu, ni à un de ses représentants, j'étais au-dessus de   5
ça, vous le pensez bien. Non, il s'agissait de l'avouer aux
hommes, à un ami, ou à une femme aimée, par exemple. Autrement, et n'y eût-il qu'un seul mensonge de caché dans une
vie, la mort le rendait définitif. Personne, jamais plus, ne
connaîtrait la vérité sur ce point puisque le seul qui la con-   10
nût était justement le mort, endormi sur son secret. Ce meurtre absolu d'une vérité me donnait le vertige. Aujourd'hui,
entre parenthèses, il me donnerait plutôt des plaisirs délicats.
L'idée, par exemple, que je suis seul à connaître ce que tout
le monde cherche et que j'ai chez moi un objet qui a fait   15
courir en vain trois polices est purement délicieuse. Mais laissons cela. A l'époque, je n'avais pas trouvé la recette et je me
tourmentais.

Je me secouais, bien sûr. Qu'importait le mensonge d'un
homme dans l'histoire des générations et quelle prétention   20
de vouloir amener dans la lumière de la vérité une misérable
tromperie, perdue dans l'océan des âges comme le grain de
sel dans la mer! Je me disais aussi que la mort du corps, si
j'en jugeais par celles que j'avais vues, était, par elle-même,
une punition suffisante et qui absolvait tout. On y gagnait   25
son salut (c'est-à-dire le droit de disparaître définitivement) à
la sueur de l'agonie. Il n'empêche, le malaise grandissait, la
mort était fidèle à mon chevet, je me levais avec elle, et les
compliments me devenaient de plus en plus insupportables.
Il me semblait que le mensonge augmentait avec eux, si dé-   30
mesurément, que jamais plus je ne pourrais me mettre en
règle.

Un jour vint où je n'y tins plus. Ma première réaction fut
désordonnée. Puisque j'étais menteur, j'allais le manifester

et jeter ma duplicité à la figure de tous ces imbéciles avant
même qu'ils la découvrissent. Provoqué à la vérité, je répon-
drais au défi. Pour prévenir le rire, j'imaginai donc de me
jeter dans la dérision générale. En somme, il s'agissait encore
5 de couper au jugement. Je voulais mettre les rieurs de mon
côté ou, du moins, me mettre de leur côté. Je méditais par
exemple de bousculer des aveugles dans la rue, et à la joie
sourde et imprévue que j'en éprouvais, je découvrais à quel
point une partie de mon âme les détestait; je projetais de
10 crever les pneumatiques des petites voitures d'infirmes, d'aller
hurler «sale pauvre» sous les échafaudages où travaillaient les
ouvriers, de gifler des nourrissons dans le métro. Je rêvais de
tout cela et n'en fis rien, ou, si je fis quelque chose d'approchant, je l'ai oublié. Toujours est-il que le mot même de
15 justice me jetait dans d'étranges fureurs. Je continuais, forcément, de l'utiliser dans mes plaidoiries. Mais je m'en vengeais
en maudissant publiquement l'esprit d'humanité; j'annonçais
la publication d'un manifeste dénonçant l'oppression que les
opprimés faisaient peser sur les honnêtes gens. Un jour où je
20 mangeais de la langouste à la terrasse d'un restaurant et où
un mendiant m'importunait, j'appelai le patron pour le chas-
ser et j'applaudis à grand bruit le discours de ce justicier:
«Vous gênez, disait-il. Mettez-vous à la place de ces messieurs-
dames, à la fin!» Je disais aussi, à qui voulait l'entendre, mon
25 regret qu'il ne fût plus possible d'opérer comme un propriétaire russe dont j'admirais le caractère: il faisait fouetter en
même temps ceux de ses paysans qui le saluaient et ceux qui
ne le saluaient pas pour punir une audace qu'il jugeait dans
les deux cas également effrontée.

30   Je me souviens cependant de débordements plus graves. Je
commençais d'écrire une *Ode à la police* et une *Apothéose du
couperet*. Surtout, je m'obligeais à visiter régulièrement les
cafés spécialisés où se réunissaient nos humanistes professionnels. Mes bons antécédents m'y faisaient naturellement bien

recevoir. Là, sans y paraître, je lâchais un gros mot: «Dieu merci!» disais-je ou plus simplement: «Mon Dieu...» Vous savez comme nos athées de bistrots sont de timides communiants. Un moment de stupeur suivait l'énoncé de cette énormité, ils se regardaient, stupéfaits, puis le tumulte éclatait, les uns fuyaient hors du café, les autres caquetaient avec indignation sans rien écouter, tous se tordaient de convulsions, comme le diable sous l'eau bénite.[9]

Vous devez trouver cela puéril. Pourtant, il y avait peut-être une raison plus sérieuse à ces plaisanteries. Je voulais déranger le jeu et surtout, oui, détruire cette réputation flatteuse dont la pensée me mettait en fureur. «Un homme comme vous...» me disait-on avec gentillesse, et je blêmissais. Je n'en voulais plus de leur estime puisqu'elle n'était pas générale et comment aurait-elle été générale puisque je ne pouvais la partager? Alors, il valait mieux tout recouvrir, jugement et estime, d'un manteau de ridicule. Il me fallait libérer de toute façon le sentiment qui m'étouffait. Pour exposer aux regards ce qu'il avait dans le ventre, je voulais fracturer le beau mannequin que je présentais en tous lieux. Je me souviens ainsi d'une causerie que je devais faire devant de jeunes avocats stagiaires. Agacé par les incroyables éloges du bâtonnier qui m'avait présenté, je ne pus tenir longtemps. J'avais commencé avec la fougue et l'émotion qu'on attendait de moi et que je n'avais aucune difficulté à livrer sur commande. Mais je me mis soudain à conseiller l'amalgame comme méthode de défense. Non pas, disais-je, cet amalgame perfectionné par les inquisitions modernes qui jugent en même temps un voleur et un honnête homme pour accabler le second des crimes du premier. Il s'agissait au contraire de défendre le voleur en faisant valoir les crimes de l'honnête

---

[9] **Diable sous l'eau bénite** on comprend que le diable ne peut supporter sans d'horribles peines la présence d'une eau qui a été bénite.

homme, l'avocat en l'occurrence. Je m'expliquai fort clairement sur ce point:

«Supposons que j'aie accepté de défendre quelque citoyen
attendrissant, meurtrier par jalousie. Considérez, dirais-je,
5 messieurs les jurés, ce qu'il y a de véniel à se fâcher, lorsqu'on
voit sa bonté naturelle mise à l'épreuve par la malignité du
sexe. N'est-il pas plus grave au contraire de se trouver de ce
côté-ci de la barre, sur mon propre banc, sans avoir jamais
été bon, ni souffert d'être dupe. Je suis libre, soustrait à vos
10 rigueurs,[10] et qui suis-je pourtant? Un citoyen-soleil[11] quant
à l'orgueil, un bouc de luxure, un pharaon dans la colère, un
roi de paresse. Je n'ai tué personne? Pas encore sans doute!
Mais n'ai-je pas laissé mourir de méritantes créatures? Peut-
être. Et peut-être suis-je prêt à recommencer. Tandis que
15 celui-ci, regardez-le, il ne recommencera pas. Il est encore
tout étonné d'avoir si bien travaillé.» Ce discours troubla un
peu mes jeunes confrères. Au bout d'un moment, ils prirent
le parti d'en rire. Ils se rassurèrent tout à fait lorsque j'en vins
à ma conclusion, où j'invoquais avec éloquence la personne
20 humaine, et ses droits supposés. L'habitude, ce jour-là, fut la
plus forte.

En renouvelant ces aimables incartades, je réussis seulement à désorienter un peu l'opinion. Non à la désarmer, ni
surtout à me désarmer. L'étonnement que je rencontrais
25 généralement chez mes auditeurs, leur gêne un peu réticente,
assez semblable à celle que vous montrez—non, ne protestez
pas—ne m'apportèrent aucun apaisement. Voyez-vous, il ne
suffit pas de s'accuser pour s'innocenter, ou sinon je serais un
pur agneau. Il faut s'accuser d'une certaine manière, qu'il
30 m'a fallu beaucoup de temps pour mettre au point, et que je
n'ai pas découverte avant de m'être trouvé dans l'abandon le

[10] **Soustrait à vos rigueurs** je ne suis pas soumis à votre sévérité.
[11] **Citoyen-soleil** cf. surnom donné à Louis XIV: le Roi-Soleil.

plus complet. Jusque-là, le rire a continué de flotter autour de moi, sans que mes efforts désordonnés réussissent à lui ôter ce qu'il avait de bienveillant, de presque tendre, et qui me faisait mal.

Mais la mer monte, il me semble. Notre bateau ne va pas tarder à partir, le jour s'achève. Voyez, les colombes se rassemblent là-haut. Elles se pressent les unes contre les autres, elles remuent à peine, et la lumière baisse. Voulez-vous que nous nous taisions pour savourer cette heure assez sinistre? Non, je vous intéresse? Vous êtes bien honnête.[12] Du reste, je risque maintenant de vous intéresser vraiment. Avant de m'expliquer sur les juges-pénitents, j'ai à vous parler de la débauche et du malconfort.

[12] **Honnête** poli.

V

Vous vous trompez, cher, le bateau file à bonne allure. Mais le Zuyderzee est une mer morte, ou presque. Avec ses bords plats, perdus dans la brume, on ne sait où elle commence, où elle finit. Alors, nous marchons sans aucun repère, nous ne pouvons évaluer notre vitesse. Nous avançons, et rien ne change. Ce n'est pas de la navigation, mais du rêve.

Dans l'archipel grec, j'avais l'impression contraire. Sans cesse, de nouvelles îles apparaissaient sur le cercle de l'horizon. Leur échine sans arbres traçait la limite du ciel, leur rivage rocheux tranchait nettement sur la mer. Aucune confusion; dans la lumière précise, tout était repère. Et d'une île à l'autre, sans trêve, sur notre petit bateau, qui se traînait pourtant, j'avais l'impression de bondir, nuit et jour, à la crête des courtes vagues fraîches, dans une course pleine d'écume

et de rires. Depuis ce temps, la Grèce elle-même dérive quelque part en moi, au bord de ma mémoire, inlassablement...
Eh! là, je dérive, moi aussi, je deviens lyrique! Arrêtez-moi,
cher, je vous en prie.

A propos, connaissez-vous la Grèce? Non? Tant mieux! 5
Qu'y ferions-nous, je vous le demande? Il y faut des coeurs
purs. Savez-vous que, là-bas, les amis se promènent dans la
rue, deux par deux, en se tenant la main. Oui, les femmes
restent à la maison, et l'on voit des hommes mûrs, respectables, ornés de moustaches, arpenter gravement les trottoirs, 10
leurs doigts mêlés à ceux de l'ami. En Orient aussi, parfois?
Soit. Mais dites-moi, prendriez-vous ma main dans les rues de
Paris? Ah! je plaisante. Nous avons de la tenue, nous, la crasse
nous guinde. Avant de nous présenter dans les îles grecques,
il faudrait nous laver longuement. L'air y est chaste, la mer 15
et la jouissance claires. Et nous...

Asseyons-nous sur ces transatlantiques.[1] Quelle brume!
J'étais resté, je crois, sur le chemin du malconfort. Oui, je
vous dirai de quoi il s'agit. Après m'être débattu, après avoir
épuisé mes grands airs insolents, découragé par l'inutilité de 20
mes efforts, je décidai de quitter la société des hommes. Non,
non, je n'ai pas cherché d'île déserte, il n'y en a plus. Je me
suis réfugié seulement auprès des femmes. Vous le savez, elles
ne condamnent vraiment aucune faiblesse: elles essaieraient
plutôt d'humilier ou de désarmer nos forces. C'est pourquoi 25
la femme est la récompense, non du guerrier, mais du criminel. Elle est son port, son havre, c'est dans le lit de la femme
qu'il est généralement arrêté. N'est-elle pas tout ce qui nous
reste du paradis terrestre? Désemparé, je courus à mon port
naturel. Mais je ne faisais plus de discours. Je jouais encore 30
un peu, par habitude; l'invention manquait cependant.

---

[1] **Transatlantique** «deck chair»—en général «transat.» Voir p. 87 où
le mot signifie un navire transatlantique.

J'hésite à l'avouer, de peur de prononcer encore quelques
gros mots: il me semble bien qu'à cette époque je ressentis le
besoin d'un amour. Obscène, n'est-ce pas? J'éprouvais en tout
cas une sourde souffrance, une sorte de privation qui me
5   rendit plus vacant, et me permit, moitié forcé, moitié curieux, de prendre quelques engagements. Puisque j'avais besoin d'aimer et d'être aimé, je crus être amoureux. Autrement
dit, je fis la bête.

Je me surprenais à poser souvent une question qu'en
10 homme d'expérience j'avais toujours évitée jusque-là. Je
m'entendais demander: «Tu m'aimes?» Vous savez qu'il est
d'usage de répondre en pareil cas: «Et toi?» Si je répondais
oui, je me trouvais engagé au-delà de mes vrais sentiments. Si
j'osais dire non, je risquais de ne plus être aimé, et j'en
15 souffrais. Plus le sentiment où j'avais espéré trouver le repos
se trouvait alors menacé, et plus je le réclamais de ma partenaire. J'étais donc amené à des promesses de plus en plus
explicites, j'en venais à exiger de mon coeur un sentiment de
plus en plus vaste. Je me pris ainsi d'une fausse passion pour
20 une charmante ahurie qui avait si bien lu la presse du coeur[2]
qu'elle parlait de l'amour avec la sûreté et la conviction d'un
intellectuel annonçant la société sans classes. Cette conviction,
vous ne l'ignorez pas, est entraînante. Je m'essayai à parler
aussi de l'amour et finis par me persuader moi-même. Jus-
25 qu'au moment du moins où elle devint ma maîtresse et où je
compris que la presse du coeur, qui enseignait à parler de
l'amour, n'apprenait pas à le faire. Après avoir aimé un perroquet, il me fallut coucher avec un serpent. Je cherchai donc
ailleurs l'amour promis par les livres, et que je n'avais jamais
30 rencontré dans la vie.

Mais je manquais d'entraînement. Il y avait plus de trente

[2] **Presse du coeur** ensemble des magazines populaires à l'intention du
public féminin. Ces illustrés sont presque toujours pleins d'histoires
d'amour à bon marché.

ans que je m'aimais exclusivement. Comment espérer perdre une telle habitude? Je ne la perdis point et restai un velléitaire de la passion. Je multipliai les promesses. Je contractai des amours simultanées, comme j'avais eu, en d'autres temps, des liaisons multiples. J'accumulai alors plus de malheurs,   5
pour les autres, qu'au temps de ma belle indifférence. Vous ai-je dit que mon perroquet, désespéré, voulut se laisser mourir de faim? Heureusement, j'arrivai à temps et me résignai à lui tenir la main, jusqu'à ce qu'elle rencontrât, revenu d'un voyage à Bali,[3] l'ingénieur aux tempes grises, que lui avait   10
déjà décrit son hebdomadaire favori. En tout cas, loin de me trouver transporté et absous dans l'éternité, comme on dit, de la passion, j'ajoutai encore au poids de mes fautes et à mon égarement. J'en conçus une telle horreur de l'amour que, pendant des années, je ne pus entendre sans grincer des dents   15
La Vie en rose[4] ou *La Mort d'amour d'Yseult*.[5] J'essayai alors de renoncer aux femmes, d'une certaine manière, et de vivre en état de chasteté. Après tout, leur amitié devait me suffire. Mais cela revenait à renoncer au jeu. Hors du désir, les femmes m'ennuyèrent au-delà de toute attente et, visible-   20
ment, je les ennuyais aussi. Plus de jeu, plus de théâtre, j'étais sans doute dans la vérité. Mais la vérité, cher ami, est assommante.

Désespérant de l'amour et de la chasteté, je m'avisai enfin qu'il restait la débauche qui remplace très bien l'amour, fait   25
taire les rires, ramène le silence, et, surtout, confère l'immortalité. A un certain degré d'ivresse lucide, couché, tard dans la nuit, entre deux filles, et vidé de tout désir, l'espoir n'est plus une torture, voyez-vous, l'esprit règne sur tous les temps,

[3] **Bali** île de la Sonde (république d'Indonésie) séparée de Java par le détroit de Bali.
[4] **La Vie en rose** grand succès de la chanson populaire française immédiatement après la deuxième guerre mondiale.
[5] **La Mort d'amour d'Yseult** (*Liebestod*) air célèbre de l'opéra de Wagner.

la douleur de vivre est à jamais révolue.[6] Dans un sens, j'avais
toujours vécu dans la débauche, n'ayant jamais cessé de vouloir être immortel. N'était-ce pas le fond de ma nature, et
aussi un effet du grand amour de moi-même dont je vous ai
5   parlé? Oui, je mourais d'envie d'être immortel. Je m'aimais
trop pour ne pas désirer que le précieux objet de mon amour
ne disparût jamais. Comme, à l'état de veille, et pour peu
qu'on se connaisse, on n'aperçoit pas de raisons valables pour
que l'immortalité soit conférée à un singe salace, il faut bien
10 se procurer des succédanés de cette immortalité. Parce que je
désirais la vie éternelle, je couchais donc avec des putains et
je buvais pendant des nuits. Le matin, bien sûr, j'avais dans
la bouche le goût amer de la condition mortelle. Mais, pendant de longues heures, j'avais plané, bienheureux. Oserai-je
15 vous l'avouer? Je me souviens encore avec tendresse de certaines nuits où j'allais, dans une boîte sordide, retrouver une
danseuse à transformations qui m'honorait de ses faveurs et
pour la gloire de laquelle je me battis même, un soir, avec un
barbillon vantard. Je paradais toutes les nuits au comptoir,
20 dans la lumière rouge et la poussière de ce lieu de délices,
mentant comme un arracheur de dents[7] et buvant longuement. J'attendais l'aube, j'échouais[8] enfin dans le lit toujours
défait de ma princesse qui se livrait mécaniquement au plaisir,
puis dormait sans transition. Le jour venait doucement
25 éclairer ce désastre et je m'élevais, immobile, dans un matin
de gloire.

L'alcool et les femmes m'ont fourni, avouons-le, le seul
soulagement dont je fusse digne. Je vous livre ce secret, cher

---

[6] **Révolue** entièrement rejetée dans le passé, terminée.
[7] **Mentir comme un arracheur de dents** expression familière mais cou-
rante.
[8] **Echouer** être poussé à la côte, sur les bas-fonds en parlant d'un objet
quelconque. Ici, sens figuré: aboutir, arriver quelque part lamentable-
ment.

ami, ne craignez pas d'en user. Vous verrez alors que la vraie débauche est libératrice parce qu'elle ne crée aucune obligation. On n'y possède que soi-même, elle reste donc l'occupation préférée des grands amoureux de leur propre personne. Elle est une jungle, sans avenir ni passé, sans promesse surtout, ni sanction immédiate. Les lieux où elle s'exerce sont séparés du monde. On laisse en y entrant[9] la crainte comme l'espérance. La conversation n'y est pas obligatoire; ce qu'on vient y chercher peut s'obtenir sans paroles, et souvent même, oui, sans argent. Ah! laissez-moi, je vous prie, rendre un hommage particulier aux femmes inconnues et oubliées qui m'ont aidé alors. Aujourd'hui encore, il se mêle au souvenir que j'ai gardé d'elles quelque chose qui ressemble à du respect.

J'usai en tout cas sans retenue de cette libération. On me vit même dans un hôtel, voué à ce qu'on appelle le péché, vivre à la fois avec une prostituée mûre et une jeune fille du meilleur monde. Je jouai les chevaliers servants avec la première et mis la seconde à même de connaître quelques réalités. Malheureusement la prostituée avait une nature fort bourgeoise: elle a consenti depuis à écrire ses souvenirs pour un journal confessionnel très ouvert aux idées modernes. La jeune fille, de son côté, s'est mariée pour satisfaire ses instincts débridés et donner un emploi à des dons remarquables. Je ne suis pas peu fier non plus d'avoir été accueilli comme un égal, à cette époque, par une corporation masculine trop souvent calomniée. Je glisserai là-dessus: vous savez que même des gens très intelligents tirent gloire de pouvoir vider une bouteille de plus que le voisin. J'aurais pu enfin trouver la paix et la délivrance dans cette heureuse dissipation. Mais, là encore, je rencontrai un obstacle en moi-même. Ce fut mon foie, pour le coup, et une fatigue si terrible qu'elle ne m'a pas

---

[9] **On laisse en y entrant....** allusion à Dante (*Inferno* III v. 9)—à l'entrée de l'enfer se trouve la phrase: *Lasciate ogni speranza voi che entrate* (laissez tout espoir, vous qui entrez).

encore quitté. On joue à être immortel et, au bout de quelques semaines, on ne sait même plus si l'on pourra se traîner
jusqu'au lendemain.

Le seul bénéfice de cette expérience, quand j'eus renoncé
à mes exploits nocturnes, fut que la vie me devint moins
douloureuse. La fatigue qui rongeait mon corps avait érodé
en même temps beaucoup de points vifs en moi. Chaque
excès diminue la vitalité, donc la souffrance. La débauche n'a
rien de frénétique, contrairement à ce qu'on croit. Elle n'est
qu'un long sommeil. Vous avez dû le remarquer, les hommes
qui souffrent vraiment de jalousie n'ont rien de plus pressé
que de coucher avec celle dont ils pensent pourtant qu'elle les
a trahis. Bien sûr, ils veulent s'assurer une fois de plus que
leur cher trésor leur appartient toujours. Ils veulent le posséder, comme on dit. Mais c'est aussi que, tout de suite après, ils
sont moins jaloux. La jalousie physique est un effet de l'imagination en même temps qu'un jugement qu'on porte sur soi-
même. On prête au rival les vilaines pensées qu'on a eues dans
les mêmes circonstances. Heureusement, l'excès de la jouissance débilite l'imagination comme le jugement. La souffrance dort alors avec la virilité, et aussi longtemps qu'elle.
Pour les mêmes raisons, les adolescents perdent avec leur
première maîtresse l'inquiétude métaphysique et certains
mariages, qui sont des débauches bureaucratisées, deviennent
en même temps les monotones corbillards de l'audace et de
l'invention. Oui, cher ami, le mariage bourgeois a mis notre
pays en pantoufles, et bientôt aux portes de la mort.

J'exagère? Non, mais je m'égare. Je voulais seulement vous
dire l'avantage que je tirai de ces mois d'orgie. Je vivais dans
une sorte de brouillard où le rire se faisait assourdi, au point
que je finissais par ne plus le percevoir. L'indifférence qui
occupait déjà tant de place en moi ne trouvait plus de résistance et étendait sa sclérose. Plus d'émotions! Une humeur
égale, ou plutôt pas d'humeur du tout. Les poumons tubercu-

leux guérissent en se desséchant et asphyxient peu à peu leur
heureux propriétaire. Ainsi de moi qui mourais paisiblement
de ma guérison. Je vivais encore de mon métier, quoique ma
réputation fût bien entamée par mes écarts de langage, l'exercice régulier de ma profession compromis par le désordre de   5
ma vie. Il est intéressant de noter pourtant qu'on me fit moins
grief de mes excès nocturnes que de mes provocations de
langage. La référence, purement verbale, que parfois je faisais
à Dieu dans mes plaidoiries, donnait de la méfiance à mes
clients. Ils craignaient sans doute que le ciel ne pût prendre   10
en main leurs intérêts aussi bien qu'un avocat imbattable sur
le Code.[10] De là à conclure que j'invoquais la divinité dans la
mesure de mes ignorances, il n'y avait qu'un pas. Mes clients
firent ce pas et se raréfièrent. De loin en loin, je plaidais encore. Parfois même, oubliant que je ne croyais plus à ce que   15
je disais, je plaidais bien. Ma propre voix m'entraînait, je la
suivais; sans vraiment planer, comme autrefois, je m'élevais
un peu au-dessus du sol, je faisais du rase-mottes. Hors de mon
métier enfin, je voyais peu de monde, entretenais la survie
pénible d'une ou deux liaisons fatiguées. Il m'arrivait même   20
de passer des soirées de pure amitié, sans que la désir s'y
mêlât, à cette différence près que, résigné à l'ennui, j'écoutais
à peine ce qu'on me disait. Je grossissais un peu et je pus
croire enfin que la crise était terminée. Il ne s'agissait plus que
de vieillir.   25

Un jour pourtant, au cours d'un voyage que j'offris à une
amie, sans lui dire que je le faisais pour fêter ma guérison, je
me trouvais à bord d'un transatlantique, sur le pont supérieur, naturellement. Soudain, j'aperçus au large un point
noir sur l'Océan couleur de fer. Je détournai les yeux aus-   30
sitôt, mon coeur se mit à battre. Quand je me forçai à regar-

---

[10] **Le Code** recueil de dispositions législatives, par exemple: code civil
code d'Instruction Criminelle, etc., Code Napoléon (1805).

der, le point noir avait disparu. J'allais crier, appeler stu-
pidement à l'aide, quand je le revis. Il s'agissait d'un de ces
débris que les navires laissent derrière eux. Pourtant, je
n'avais pu supporter de le regarder, j'avais tout de suite pensé
5   à un noyé. Je compris alors, sans révolte, comme on se résigne
à une idée dont on connaît depuis longtemps la vérité, que ce
cri qui, des années auparavant, avait retenti sur la Seine,
derrière moi, n'avait pas cessé, porté par le fleuve vers les eaux
de la Manche, de cheminer dans le monde, à travers l'étendue
10 illimitée de l'Océan, et qu'il m'y avait attendu jusqu'à ce jour
où je l'avais rencontré. Je compris aussi qu'il continuerait de
m'attendre sur les mers et les fleuves, partout enfin où se
trouverait l'eau amère de mon baptême. Ici encore, dites-
moi, ne sommes-nous pas sur l'eau? Sur l'eau plate, monotone,
15 interminable, qui confond ses limites à celles de la terre?
Comment croire que nous allons arriver à Amsterdam? Nous
ne sortirons jamais de ce bénitier immense. Ecoutez! N'entendez-vous pas les cris de goélands invisibles? S'ils crient vers
nous, à quoi donc nous appellent-ils?
20   Mais ce sont les mêmes qui criaient, qui appelaient déjà
sur l'Atlantique, le jour où je compris définitivement que je
n'étais pas guéri, que j'étais toujours coincé, et qu'il fallait
m'en arranger. Finie la vie glorieuse, mais finis aussi la rage
et les soubresauts. Il fallait se soumettre et reconnaître sa
25 culpabilité. Il fallait vivre dans le malconfort. C'est vrai, vous
ne connaissez pas cette cellule de basse-fosse qu'au Moyen Age
on appelait le malconfort. En général, on vous y oubliait pour
la vie. Cette cellule se distinguait des autres par d'ingénieuses
dimensions. Elle n'était pas assez haute pour qu'on s'y tînt
30 debout, mais pas assez large pour qu'on pût s'y coucher. Il
fallait prendre le genre empêché, vivre en diagonale; le sommeil était une chute, la veille un accroupissement. Mon cher,
il y avait du génie, et je pèse mes mots, dans cette trouvaille si
simple. Tous les jours, par l'immuable contrainte qui anky-

losait son corps, le condamné apprenait qu'il était coupable
et que l'innocence consiste à s'étirer joyeusement. Pouvez-
vous imaginer dans cette cellule un habitué des cimes et des
ponts supérieurs? Quoi? On pouvait vivre dans ces cellules et
être innocent? Improbable, hautement improbable! Ou sinon
mon raisonnement se casserait le nez. Que l'innocence en soit
réduite à vivre bossue, je me refuse à considérer une seule
seconde cette hypothèse. Du reste, nous ne pouvons affirmer
l'innocence de personne, tandis que nous pouvons affirmer à
coup sûr la culpabilité de tous. Chaque homme témoigne du
crime de tous les autres, voilà ma foi, et mon espérance.

Croyez-moi, les religions se trompent dès l'instant qu'elles
font de la morale et qu'elles fulminent des commandements.
Dieu n'est pas nécessaire pour créer la culpabilité, ni punir.
Nos semblables y suffisent, aidés par nous-mêmes. Vous parliez
du jugement dernier. Permettez-moi d'en rire respectueusement. Je l'attends de pied ferme: j'ai connu ce qu'il y a de
pire, qui est le jugement des hommes. Pour eux, pas de
circonstances atténuantes, même la bonne intention est imputée à crime. Avez-vous au moins entendu parler de la cellule des crachats qu'un peuple imagina récemment pour
prouver qu'il était le plus grand de la terre? Une boîte maçon-
née où le prisonnier se tient debout, mais ne peut pas bouger.
La solide porte qui le boucle dans sa coquille de ciment
s'arrête à hauteur de menton. On ne voit donc que son visage
sur lequel chaque gardien qui passe crache abondamment. Le
prisonnier, coincé dans la cellule, ne peut s'essuyer, bien qu'il
lui soit permis, il est vrai, de fermer les yeux. Eh bien, ça, mon
cher, c'est une invention d'hommes. Ils n'ont pas eu besoin
de Dieu pour ce petit chef-d'oeuvre.

Alors? Alors, la seule utilité de Dieu serait de garantir
l'innocence et je verrais plutôt la religion comme une grande
entreprise de blanchissage, ce qu'elle a été d'ailleurs, mais
brièvement, pendant trois ans tout juste, et elle ne s'appelait

pas religion. Depuis, le savon manque, nous avons le nez sale et nous nous mouchons mutuellement. Tous cancres, tous punis, crachons-nous dessus, et hop! au malconfort! C'est à qui crachera le premier, voilà tout. Je vais vous dire un grand secret, mon cher. N'attendez pas le jugement dernier. Il a lieu tous les jours.

Non, ce n'est rien, je frissonne un peu dans cette sacrée humidité. Nous sommes arrivés d'ailleurs. Voilà. Après vous. Mais restez encore, je vous prie, et accompagnez-moi. Je n'en ai pas fini, il faut continuer. Continuer, voilà ce qui est diffi-cile. Tenez, savez-vous pourquoi on l'a crucifié, l'autre, celui auquel vous pensez en ce moment, peut-être? Bon, il y avait des quantités de raisons à cela. Il y a toujours des raisons au meurtre d'un homme. Il est, au contraire, impossible de justifier qu'il vive. C'est pourquoi le crime trouve toujours des avocats et l'innocence, parfois seulement. Mais, à côté des raisons qu'on nous a très bien expliquées pendant deux mille ans, il y en avait une grande à cette affreuse agonie, et je ne sais pourquoi on la cache si soigneusement. La vraie raison est qu'il savait, lui, qu'il n'était pas tout à fait innocent. S'il ne portait pas le poids de la faute dont on l'accusait, il en avait commis d'autres, quand même il ignorait lesquelles. Les ignorait-il d'ailleurs? Il était à la source, après tout; il avait dû entendre parler d'un certain massacre des innocents. Les enfants de la Judée[11] massacrés pendant que ses parents l'em-menaient en lieu sûr, pourquoi étaient-ils morts sinon à cause de lui? Il ne l'avait pas voulu, bien sûr. Ces soldats sanglants, ces enfants coupés en deux lui faisaient horreur. Mais, tel qu'il était, je suis sûr qu'il ne pouvait les oublier. Et cette tristesse qu'on devine dans tous ses actes, n'était-ce pas la mélancolie inguérissable de celui qui entendait au long des nuits la voix de Rachel, gémissant sur ses petits et refusant

---

[11] **Les enfants de la Judée** les saints innocents. Voir Matthieu II, 16.

toute consolation? La plainte s'élevait dans la nuit, Rachel[12] appelait ses enfants tués pour lui, et il était vivant!

Sachant ce qu'il savait, connaissant tout de l'homme—ah! qui aurait cru que le crime n'est pas tant de faire mourir que de ne pas mourir soi-même!—confronté jour et nuit à son crime innocent, il devenait trop difficile pour lui de se maintenir et de continuer. Il valait mieux en finir, ne pas se défendre, mourir, pour ne plus être seul à vivre et pour aller ailleurs, là où, peut-être, il serait soutenu. Il n'a été soutenu, il s'en est plaint et, pour tout achever, on l'a censuré. Oui, c'est le troisième évangéliste, je crois, qui a commencé de supprimer sa plainte. «Pourquoi m'as-tu abandonné?» c'était un cri séditieux, n'est-ce pas? Alors, les ciseaux! Notez d'ailleurs que si Luc n'avait rien supprimé, on aurait à peine remarqué la chose; elle n'aurait pas pris tant de place, en tout cas. Ainsi, le censeur crie ce qu'il proscrit. L'ordre du monde aussi est ambigu.

Il n'empêche que le censuré, lui, n'a pu continuer. Et je sais, cher, ce dont je parle. Il fut un temps où j'ignorais, à chaque minute, comment je pourrais atteindre la suivante. Oui, on peut faire la guerre en ce monde, singer l'amour, torturer son semblable, parader dans les journaux, ou simplement dire du mal de son voisin en tricotant. Mais, dans certains cas, continuer, seulement continuer, voilà ce qui est surhumain. Et lui n'était pas surhumain, vous pouvez m'en croire. Il a crié son agonie et c'est pourquoi je l'aime, mon ami, qui est mort sans savoir.

Le malheur est qu'il nous a laissés seuls, pour continuer, quoi qu'il arrive, même lorsque nous nichons dans le malconfort, sachant à notre tour ce qu'il savait, mais incapables de faire ce qu'il a fait et de mourir comme lui. On a bien essayé, naturellement, de s'aider un peu de sa mort. Après

[12] **Rachel** femme de Jacob, mère de Joseph et de Benjamin.

tout, c'était un coup de génie de nous dire: «Vous n'êtes pas
reluisants,[13] bon, c'est un fait. Eh bien, on ne va pas faire le
détail! On va liquider ça d'un coup, sur la croix!» Mais trop
de gens grimpent maintenant sur la croix seulement pour
5   qu'on les voie de plus loin, même s'il faut pour cela piétiner
un peu celui qui s'y trouve depuis si longtemps. Trop de gens
ont décidé de se passer de la générosité pour pratiquer la
charité. O l'injustice, l'injustice qu'on lui a faite et qui me
serre le coeur!
10   Allons, voilà que ça me reprend, je vais plaider. Pardonnez-
moi, comprenez que j'ai mes raisons. Tenez, à quelques rues
d'ici, il y a un musée qui s'appelle «Notre-Seigneur au grenier.» A l'époque, ils avaient placé leurs catacombes sous les
combles. Que voulez-vous, les caves, ici, sont inondées. Mais
15 aujourd'hui, rassurez-vous, leur Seigneur n'est plus au grenier, ni à la cave. Ils l'ont juché sur un tribunal, au secret de
leur coeur, et ils cognent, ils jugent surtout, ils jugent en son
nom. Il parlait doucement à la pécheresse: «Moi non plus, je
ne te condamne pas!»; ça n'empêche rien, ils condamnent, ils
20 n'absolvent personne. Au nom du Seigneur, voilà ton compte.
Seigneur? Il n'en demandait pas tant, mon ami. Il voulait
qu'on l'aime, rien de plus. Bien sûr, il y a des gens qui l'aiment, même parmi les chrétiens. Mais on les compte. Il avait
prévu ça d'ailleurs, il avait le sens de l'humour. Pierre, vous
25 savez, le froussard,[14] Pierre, donc, le renie: «Je ne connais pas
cet homme... Je ne sais pas ce que tu veux dire... etc.» Vraiment, il exagérait! Et lui fait un jeu de mots: «Sur cette
pierre,[15] je bâtirai mon église.» On ne pouvait pas pousser
plus loin l'ironie, vous ne trouvez pas? Mais non, ils triom-

---

[13] **Vous n'êtes pas reluisants** résumé en langue populaire du dogme de
la Rédemption par la Crucifixion.
[14] **Froussard** adjectif très familier qui signifie «peureux.» Cf. Matthieu
XXVI, 69-75.
[15] **Sur cette pierre** Matthieu XVI, 18.

phent encore! «Vous voyez, il l'avait dit!» Il l'avait dit en
effet, il connaissait bien la question. Et puis il est parti pour
toujours, les laissant juger et condamner, le pardon à la
bouche et la sentence au coeur.

Car on ne peut pas dire qu'il n'y a plus de pitié, non,   5
grands dieux, nous n'arrêtons pas d'en parler. Simplement,
on n'acquitte plus personne. Sur l'innocence morte, les juges
pullulent, les juges de toutes les races, ceux du Christ et ceux
de l'Antéchrist, qui sont d'ailleurs les mêmes, réconciliés dans
le malconfort. Car il ne faut pas accabler les seuls chrétiens.   10
Les autres aussi sont dans le coup. Savez-vous ce qu'est devenue, dans cette ville, l'une des maisons qui abrita Descartes? [16] Un asile d'aliénés. Oui, c'est le délire général, et la
persécution. Nous aussi, naturellement, nous sommes forcés
de nous y mettre. Vous avez pu vous apercevoir que je   15
n'épargne rien et, de votre côté, je sais que vous n'en pensez
pas moins. Dès lors, puisque nous sommes tous juges, nous
sommes tous coupables les uns devant les autres, tous christs
à notre vilaine manière, un à un crucifiés, et toujours sans
savoir. Nous le serions du moins, si moi, Clamence, je n'avais   20
trouvé l'issue, la seule solution, la vérité enfin...

Non, je m'arrête, cher ami, ne craignez rien! Je vais d'ailleurs vous quitter, nous voici à ma porte. Dans la solitude,
la fatigue aidant, que voulez-vous, on se prend volontiers
pour un prophète. Après tout, c'est bien là ce que je suis,   25
réfugié dans un désert de pierres, de brumes et d'eaux pourries, prophète vide pour temps médiocres, Elie[17] sans messie,
bourré de fièvre et d'alcool, le dos collé à cette porte moisie,
le doigt levé vers un ciel bas, couvrant d'imprécations des
hommes sans loi qui ne peuvent supporter aucun jugement.   30

---

[16] **L'une des maisons qui abrita Descartes** Descartes s'était en effet retiré en Hollande afin d'y trouver la solitude et la paix dont il avait
besoin pour écrire son oeuvre philosophique.
[17] **Elie** prophète de l'Ancien Testament.

Car ils ne peuvent le supporter, très cher, et c'est toute la
question. Celui qui adhère à une loi ne craint pas le jugement
qui le replace dans un ordre auquel il croit. Mais le plus haut
des tourments humains est d'être jugé sans loi. Nous sommes
5   pourtant dans ce tourment. Privés de leur frein naturel, les
juges, déchaînés au hasard, mettent les bouchées doubles.
Alors, n'est-ce pas, il faut bien essayer d'aller plus vite qu'eux?
Et c'est le grand branle-bas. Les prophètes et les guérisseurs
se multiplient, ils se dépêchent pour arriver avec une bonne
10   loi, ou une organisation impeccable, avant que la terre ne
soit déserte. Heureusement, je suis arrivé, moi! Je suis la fin
et le commencement, j'annonce la loi. Bref, je suis juge-pénitent.

Oui, oui, je vous dirai demain en quoi consiste ce beau
15   métier. Vous partez après-demain, nous sommes donc pressés.
Venez chez moi, voulez-vous, vous sonnerez trois fois. Vous
retournez à Paris? Paris est loin, Paris est beau, je ne l'ai pas
oublié. Je me souviens de ses crépuscules, à la même époque,
à peu près. Le soir tombe, sec et crissant, sur les toits bleus
20   de fumée, la ville gronde sourdement, le fleuve semble re-
monter son cours. J'errais alors dans les rues. Ils errent aussi,
maintenant, je le sais! Ils errent, faisant semblant de se hâter
vers la femme lasse, la maison sévère... Ah! mon ami, savez-
vous ce qu'est la créature solitaire, errant dans les grandes
25   villes?...

∾ VI ∾

Je suis confus de vous recevoir couché. Ce n'est rien, un peu de fièvre que je soigne au genièvre. J'ai l'habitude de ces accès. Du paludisme, je crois, que j'ai contracté du temps que j'étais pape. Non, je ne plaisante qu'à moitié. Je sais ce que vous pensez: il est bien difficile de démêler le vrai du faux dans ce que je raconte. Je confesse que vous avez raison. Moi-même... Voyez-vous, une personne de mon entourage divisait les êtres en trois catégories: ceux qui préfèrent n'avoir rien à cacher plutôt que d'être obligés de mentir, ceux qui préfèrent mentir plutôt que de n'avoir rien à cacher, et ceux enfin qui aiment en même temps le mensonge et le secret. Je vous laisse choisir la case qui me convient le mieux.

Qu'importe, après tout? Les mensonges ne mettent-ils pas finalement sur la voie de la vérité? Et mes histoires, vraies ou

fausses, ne tendent-elles pas toutes à la même fin, n'ont-elles
pas le même sens? Alors, qu'importe qu'elles soient vraies ou
fausses si, dans les deux cas, elles sont significatives de ce que
j'ai été et de ce que je suis. On voit parfois plus clair dans
5   celui qui ment que dans celui qui dit vrai. La vérité, comme
la lumière, aveugle. Le mensonge, au contraire, est un beau
crépuscule, qui met chaque objet en valeur. Enfin, prenez-le
comme vous voudrez, mais j'ai été nommé pape dans un
camp de prisonniers.

10   Asseyez-vous, je vous en prie. Vous regardez cette pièce.
Nue, c'est vrai, mais propre. Un Vermeer,[1] sans meubles ni
casseroles. Sans livres, non plus, j'ai cessé de lire depuis longtemps. Autrefois, ma maison était pleine de livres à moitié
lus. C'est aussi dégoûtant que ces gens qui écornent un foie
15 gras et font jeter le reste. D'ailleurs, je n'aime plus que les
confessions, et les auteurs de confession écrivent surtout pour
ne pas se confesser, pour ne rien dire de ce qu'ils savent.
Quand ils prétendent passer aux aveux, c'est le moment de
se méfier, on va maquiller le cadavre. Croyez-moi, je suis
20 orfèvre. Alors, j'ai coupé court. Plus de livres, plus de vains
objets non plus, le strict nécessaire, net et verni comme un
cercueil. D'ailleurs, ces lits hollandais, si durs, avec des draps
immaculés, on y meurt dans un linceul déjà, embaumés de
pureté.

25   Vous êtes curieux de connaître mes aventures pontificales?
Rien que de banal, vous savez. Aurai-je la force de vous en
parler? Oui, il me semble que la fièvre diminue. Il y a si
longtemps de cela. C'était en Afrique où, grâce à M. Rommel,[2] la guerre flambait. Je n'y étais pas mêlé, non, rassurez-
30 vous. J'avais déjà coupé à celle d'Europe. Mobilisé bien sûr,

---

[1] **Vermeer** (Jean) peintre de paysages et d'intérieurs hollandais, connu
pour son goût des jeux de lumière et des harmonies subtiles de couleurs.
[2] **Rommel** (Erwin) commandant de l'*Afrika Korps* de l'armée allemande
(1941-1943).

mais je n'ai jamais vu le feu. Dans un sens, je le regrette.
Peut-être cela aurait-il changé beaucoup de choses? L'armée
française n'a pas eu besoin de moi sur le front. Elle m'a seulement demandé de participer à la retraite. J'ai retrouvé Paris
ensuite, et les Allemands. J'ai été tenté par la Résistance[3]   5
dont on commençait à parler, à peu près au moment où j'ai
découvert que j'étais patriote. Vous souriez? Vous avez tort.
Je fis ma découverte dans les couloirs du métro, au Châtelet.[4]
Un chien s'était égaré dans le labyrinthe. Grand, le poil raide,
une oreille cassée, les yeux amusés, il gambadait, flairait les   10
mollets qui passaient. J'aime les chiens d'une très vieille et
très fidèle tendresse. Je les aime parce qu'ils pardonnent toujours. J'appelai celui-ci qui hésita, visiblement conquis, l'arrière-train enthousiaste, à quelques mètres devant moi. A ce
moment, un jeune soldat allemand qui marchait allégrement   15
me dépassa. Arrivé devant le chien, il lui caressa la tête. Sans
hésiter, l'animal lui emboîta le pas, avec le même enthou-
siasme, et disparut avec lui. Au dépit, et à la sorte de fureur
que je sentis contre le soldat allemand, il me fallut bien reconnaître que ma réaction était patriotique. Si le chien avait   20
suivi un civil français, je n'y aurais même pas pensé. J'imaginais au contraire ce sympathique animal devenu mascotte
d'un régiment allemand et cela me mettait en fureur. Le test
était donc convaincant.

Je gagnai la zone Sud[5] avec l'intention de me renseigner   25
sur la Résistance. Mais une fois rendu, et renseigné, j'hésitai.
L'entreprise me paraissait un peu folle et, pour tout dire, ro-

---

[3] **Résistance** nom donné à l'action clandestine menée au cours de la
seconde guerre mondiale par des organisations civiles et militaires qui
se sont opposées à l'occupation de leur territoire par l'Allemagne.
[4] **Châtelet** l'une des plus importantes stations de métro de Paris sur la
rive droite en face de l'île de la cité. Le Châtelet, importante prison
sous la monarchie, est aujourd'hui détruit.
[5] **Zone Sud** partie de la France non-occupée par les Nazis jusqu'à 1942.

mantique. Je crois surtout que l'action souterraine ne convenait ni à mon tempérament, ni à mon goût des sommets aérés. Il me semblait qu'on me demandait de faire de la tapisserie dans une cave, à longueur de jours et de nuits, en
5   attendant que des brutes viennent m'y débusquer, défaire d'abord ma tapisserie et me traîner ensuite dans une autre cave pour m'y frapper jusqu'à la mort. J'admirais ceux qui se livraient à cet héroïsme des profondeurs, mais ne pouvais les imiter.

10   Je passai donc en Afrique du Nord avec la vague intention de rejoindre Londres.[6] Mais, en Afrique, la situation n'était pas claire, les partis opposés me paraissaient avoir également raison et je m'abstins. Je vois à votre air que je passe bien vite, selon vous, sur ces détails qui ont du sens. Eh bien, disons que,
15   vous ayant jugé sur votre vraie valeur, je les passe vite pour que vous les remarquiez mieux. Toujours est-il que je gagnai finalement la Tunisie où une tendre amie m'assurait du travail. Cette amie était une créature fort intelligente qui s'occupait de cinéma. Je la suivis à Tunis et je ne connus son
20   vrai métier que les jours qui suivirent le débarquement[7] des Alliés en Algérie. Elle fut arrêtée ce jour-là par les Allemands et moi aussi, mais sans l'avoir voulu. Je ne sais ce qu'elle devint. Quant à moi, on ne me fit aucun mal et je compris, après de fortes angoisses, qu'il s'agissait surtout d'une mesure
25   de sûreté. Je fus interné près de Tripoli, dans un camp où l'on souffrait de soif et de dénuement plus que de mauvais traitements. Je ne vous en fais pas la description. Nous autres, enfants du demi-siècle, n'avons pas besoin de dessin pour imaginer ces sortes d'endroits. Il y a cent cinquante ans, on s'at-
30   tendrissait sur les lacs et les forêts. Aujourd'hui, nous avons le lyrisme cellulaire. Donc, je vous fais confiance. Vous n'ajou-

---

[6] **Londres** allusion au quartier général des Forces françaises libres sous le commandement du Général de Gaulle.
[7] **Débarquement** 8 novembre 1942.

terez que quelques détails: la chaleur, le soleil vertical, les mouches, le sable, l'absence d'eau.

Il y avait avec moi un jeune Français, qui avait la foi. Oui! c'est un conte de fées, décidément. Le genre Duguesclin,[8] si vous voulez. Il était passé de France en Espagne pour aller se battre. Le général catholique[9] l'avait interné et d'avoir vu que, dans les camps franquistes, les pois chiches étaient, si j'ose dire, bénis par Rome, l'avait jeté dans une profonde tristesse. Ni le ciel d'Afrique, où il avait échoué ensuite, ni les loisirs du camp ne l'avaient tiré de cette tristesse. Mais ses réflexions, et aussi le soleil, l'avaient un peu sorti de son état normal. Un jour où, sous une tente ruisselante de plomb fondu, la dizaine d'hommes que nous étions haletaient parmi les mouches, il renouvela ses diatribes contre celui qu'il appelait le Romain.[10] Il nous regardait d'un air égaré, avec sa barbe de plusieurs jours. Son torse nu était couvert de sueur, ses mains pianotaient sur le clavier visible des côtes. Il nous déclarait qu'il fallait un nouveau pape qui vécût parmi les malheureux, au lieu de prier sur un trône, et que le plus vite serait le mieux. Il nous fixait de ses yeux égarés en secouant la tête. «Oui, répétait-il, le plus vite possible!» Puis il se calma d'un coup, et, d'une voix morne, dit qu'il fallait le choisir parmi nous, prendre un homme complet, avec ses défauts et ses vertus, et lui jurer obéissance, à la seule condition qu'il acceptât de maintenir vivante, en lui et chez les autres, la communauté de nos souffrances. «Qui d'entre nous, dit-il, a le plus de faiblesses?» Par plaisanterie, je levai le doigt, et fus seul à le faire. «Bien, Jean-Baptiste fera l'affaire.» Non, il ne dit pas cela puisque j'avais alors un autre nom. Il déclara

[8] **Duguesclin** (Bertrand) a débarrassé la France d'abord des Grandes Compagnies en les menant en Espagne et puis presque complètement des Anglais dans la Guerre de Cent Ans.

[9] **Le général catholique** le général Francisco Franco.

[10] **Le Romain** le Pape.

du moins que se désigner comme je l'avais fait supposait aussi
la plus grande vertu et proposa de m'élire. Les autres acquies-
cèrent, par jeu, avec, cependant, une trace de gravité. La
vérité est que Duguesclin nous avait impressionnés. Moi-
5 même, il me semble bien que je ne riais pas tout à fait. Je
trouvai d'abord que mon petit prophète avait raison et puis
le soleil, les travaux épuisants, la bataille pour l'eau, bref,
nous n'étions pas dans notre assiette.[11] Toujours est-il que
j'exerçai mon pontificat pendant plusieurs semaines, de plus
10 en plus sérieusement.

En quoi consistait-il? Ma foi, j'étais quelque chose comme
chef de groupe ou secrétaire de cellule. Les autres, de toute
manière, et même ceux qui n'avaient pas la foi, prirent l'habitude de m'obéir. Duguesclin souffrait; j'administrais sa souf-
15 france. Je me suis aperçu alors qu'il n'était pas si facile qu'on
le croyait d'être pape et je m'en suis encore souvenu, hier,
après vous avoir fait tant de discours dédaigneux sur les juges,
nos frères. Le grand problème, dans le camp, était la distribu-
tion d'eau. D'autres groupes s'étaient formés, politiques et
20 confessionnels, et chacun favorisait ses camarades. Je fus donc
amené à favoriser les miens, ce qui était déjà une petite con-
cession. Même parmi nous, je ne pus maintenir une parfaite
égalité. Selon l'état de mes camarades, ou les travaux qu'ils
avaient à faire, j'avantageais tel ou tel. Ces distinctions mè-
25 nent loin, vous pouvez m'en croire. Mais, décidément, je suis
fatigué et n'ai plus envie de penser à cette époque. Disons que
j'ai bouclé la boucle le jour où j'ai bu l'eau d'un camarade
agonisant. Non, non, ce n'était pas Duguesclin, il était déjà
mort, je crois, il se privait trop. Et puis, s'il avait été là, pour
30 l'amour de lui, j'aurais résisté plus longtemps, car je l'aimais,
oui, je l'aimais, il me semble du moins. Mais j'ai bu l'eau,

---

[11] **Etre dans son assiette** être physiquement ou moralement en bon
état.

cela est sûr, en me persuadant que les autres avaient besoin
de moi, plus que de celui-ci qui allait mourir de toute façon,
et je devais me conserver à eux. C'est ainsi, cher, que naissent
les empires et les églises, sous le soleil de la mort. Et pour
corriger un peu mes discours d'hier, je vais vous dire la   5
grande idée qui m'est venue en parlant de tout ceci dont je
ne sais même plus si je l'ai vécu ou rêvé. Ma grande idée est
qu'il faut pardonner au pape. D'abord, il en a plus besoin
que personne. Ensuite, c'est la seule manière de se mettre au-
dessus de lui...   10

Oh! avez-vous bien fermé la porte? Oui? Vérifiez, s'il vous
plaît. Pardonnez-moi, j'ai le complexe du verrou. Au moment de m'endormir, je ne puis jamais savoir si j'ai poussé
le verrou. Chaque soir, je dois me lever pour le vérifier. On
n'est sûr de rien, je vous l'ai dit. Ne croyez pas que cette in-   15
quiétude du verrou soit chez moi une réaction de propriétaire
apeuré. Autrefois, je ne fermais pas mon appartement à clé,
ni ma voiture. Je ne serrais pas mon argent, je ne tenais pas
à ce que je possédais. A vrai dire, j'avais un peu honte de
posséder. Ne m'arrivait-il pas, dans mes discours mondains,   20
de m'écrier avec conviction: «La propriété, messieurs, c'est le
meurtre!» N'ayant pas le coeur assez grand pour partager mes
richesses avec un pauvre bien méritant, je les laissais à la
disposition des voleurs éventuels, espérant ainsi corriger l'injustice par le hasard. Aujourd'hui, du reste, je ne possède   25
rien. Je ne m'inquiète donc pas de ma sécurité, mais de moi-
même et de ma présence d'esprit. Je tiens aussi à condamner
la porte du petit univers bien clos dont je suis le roi, le pape
et le juge.

A propos, voulez-vous ouvrir ce placard, s'il vous plaît. Ce   30
tableau, oui, regardez-le. Ne le reconnaissez-vous pas? Ce sont
Les Juges intègres. Vous ne sursautez pas? Votre culture aurait donc des trous? Si vous lisiez pourtant les journaux, vous
vous rappelleriez le vol, en 1934, à Gand, dans la cathédrale

Saint-Bavon, d'un des panneaux du fameux retable de Van
Eyck, *L'Agneau mystique*.[12] Ce panneau s'appelait *Les Juges
intègres*.[13] Il représentait des juges à cheval venant adorer le
saint animal. On l'a remplacé par une excellente copie, car
5   l'original est demeuré introuvable. Eh bien, le voici. Non, je
n'y suis pour rien. Un habitué de *Mexico-City,* que vous avez
aperçu l'autre soir, l'a vendu pour une bouteille au gorille,
un soir d'ivresse. J'ai d'abord conseillé à notre ami de l'accrocher en bonne place et longtemps, pendant qu'on les re-
10   cherchait dans le monde entier, nos juges dévots ont trôné à
Mexico-City, au-dessus des ivrognes et des souteneurs. Puis le
gorille, sur ma demande, l'a mis en dépôt ici. Il rechignait
un peu à le faire, mais il a pris peur quand je lui ai expliqué
l'affaire. Depuis, ces estimables magistrats font ma seule com-
15   pagnie. Là-bas, au-dessus du comptoir, vous avez vu quel vide
ils ont laissé.

Pourquoi je n'ai pas restitué le panneau? Ah! ah! vous avez
le réflexe policier, vous! Eh bien, je vous répondrai comme
je le ferais au magistrat instructeur, si seulement quelqu'un
20   pouvait enfin s'aviser que ce tableau a échoué dans ma chambre. Premièrement, parce qu'il n'est pas à moi, mais au patron de *Mexico-City* qui le mérite bien autant que l'évêque
de Gand. Deuxièmement, parce que parmi ceux qui défilent
devant *L'Agneau mystique,* personne ne saurait distinguer la
25   copie de l'original et qu'en conséquence nul, par ma faute,
n'est lésé. Troisièmement, parce que, de cette manière, je
domine. De faux juges sont proposés à l'admiration du monde
et je suis seul à connaître les vrais. Quatrièmement, parce que
j'ai une chance, ainsi, d'être envoyé en prison, idée alléchante,
30   d'une certaine manière. Cinquièmement, parce que ces juges
vont au rendez-vous de l'Agneau, qu'il n'y a plus d'agneau, ni

[12] **Van Eyck** (Jean) peintre primitif flamand.
[13] **Les Juges intègres** cet incident rapporté par Camus est véridique.

d'innocence, et qu'en conséquence, l'habile forban qui a volé
le panneau était un instrument de la justice inconnue qu'il
convient de ne pas contrarier. Enfin, parce que de cette façon,
nous sommes dans l'ordre. La justice étant définitivement
séparée de l'innocence, celle-ci sur la croix, celle-là au pla-   5
card, j'ai le champ libre pour travailler selon mes convictions.
Je peux exercer avec bonne conscience la difficile profession
de juge-pénitent où je me suis établi après tant de déboires
et de contradictions, et dont il est temps, puisque vous partez,
que je vous dise enfin ce qu'elle est.   10

Permettez auparavant que je me redresse pour mieux respirer. Oh! que je suis fatigué! Mettez mes juges sous clé,
merci. Ce métier de juge-pénitent, je l'exerce en ce moment.
D'habitude, mes bureaux se trouvent à *Mexico-City*. Mais les
grandes vocations se prolongent au-delà du lieu de travail.   15
Même au lit, même fiévreux, je fonctionne. Ce métier-là,
d'ailleurs, on ne l'exerce pas, on le respire, à toute heure. Ne
croyez pas en effet que, pendant cinq jours, je vous aie fait
de si longs discours pour le seul plaisir. Non, j'ai assez parlé
pour ne rien dire, autrefois. Maintenant mon discours est   20
orienté. Il est orienté par l'idée, évidemment, de faire taire
les rires, d'éviter personnellement le jugement, bien qu'il n'y
ait, en apparence, aucune issue. Le grand empêchement à y
échapper n'est-il pas que nous sommes les premiers à nous
condamner? Il faut donc commencer par étendre la condam-   25
nation à tous, sans discrimination, afin de la délayer déjà.

Pas d'excuses, jamais, pour personne, voilà mon principe,
au départ. Je nie la bonne intention, l'erreur estimable, le
faux pas, la circonstance atténuante. Chez moi, on ne bénit
pas, on ne distribue pas d'absolution. On fait l'addition, sim-   30
plement, et puis: «Ça fait tant. Vous êtes un pervers, un
satyre, un mythomane, un pédéraste, un artiste, etc.» Comme
ça. Aussi sec. En philosophie comme en politique, je suis donc
pour toute théorie qui refuse l'innocence à l'homme et pour

toute pratique qui le traite en coupable. Vous voyez en moi.
très cher, un partisan éclairé de la servitude.

   Sans elle, à vrai dire, il n'y a point de solution définitive.
J'ai très vite compris cela. Autrefois, je n'avais que la liberté
5 à la bouche. Je l'étendais au petit déjeuner sur mes tartines,
je la mastiquais toute la journée, je portais dans le monde une
haleine délicieusement rafraîchie à la liberté. J'assenais ce
maître mot à quiconque me contredisait, je l'avais mis au
service de mes désirs et de ma puissance. Je le murmurais au
10 lit, dans l'oreille endormie de mes compagnes et il m'aidait
à les planter là. Je le glissais... Allons, je m'excite et je perds
la mesure. Après tout, il m'est arrivé de faire de la liberté un
usage plus désintéressé et même, jugez de ma naïveté, de la
défendre deux ou trois fois, sans aller sans doute jusqu'à
15 mourir pour elle, mais en prenant quelques risques. Il faut
me pardonner ces imprudences; je ne savais pas ce que je
faisais. Je ne savais pas que la liberté n'est pas une récompense, ni une décoration qu'on fête dans le champagne. Ni
d'ailleurs un cadeau, une boîte de chatteries propres à vous
20 donner des plaisirs de babines. Oh! non, c'est une corvée, au
contraire, et une course de fond, bien solitaire, bien exté-
nuante. Pas de champagne, point d'amis qui lèvent leur verre
en vous regardant avec tendresse. Seul dans une salle morose,
seul dans le box, devant les juges, et seul pour décider, devant
25 soi-même ou devant le jugement des autres. Au bout de toute
liberté, il y a une sentence; voilà pourquoi la liberté est trop
lourde à porter, surtout lorsqu'on souffre de fièvre, ou qu'on
a de la peine, ou qu'on n'aime personne.

   Ah! mon cher, pour qui est seul, sans dieu et sans maître,
30 le poids des jours est terrible. Il faut donc se choisir un maître,
Dieu n'étant plus à la mode. Ce mot d'ailleurs n'a plus de
sens; il ne vaut pas qu'on risque de choquer personne. Tenez,
nos moralistes, si sérieux, aimant leur prochain et tout, rien
ne les sépare, en somme, de l'état de chrétien, si ce n'est qu'ils

ne prêchent pas dans les églises. Qu'est-ce qui les empêche, selon vous, de se convertir? Le respect, peut-être, le respect des hommes, oui, le respect humain. Ils ne veulent pas faire scandale, ils gardent leurs sentiments pour eux. J'ai connu ainsi un romancier athée qui priait tous les soirs. Ça n'empê- 5 chait rien: qu'est-ce qu'il passait à Dieu dans ses livres! Quelle dérouillée, comme dirait je ne sais plus qui! Un militant libre penseur à qui je m'en ouvris leva, sans mauvaise intention d'ailleurs, les bras au ciel: «Vous ne m'apprenez rien, soupi- rait cet apôtre, ils sont tous comme ça.» A l'en croire, quatre- 10 vingts pour cent de nos écrivains, si seulement ils pouvaient ne pas signer, écriraient et salueraient le nom de Dieu. Mais ils signent, selon lui, parce qu'ils s'aiment, et ils ne saluent rien du tout, parce qu'ils se détestent. Comme ils ne peuvent tout de même pas s'empêcher de juger, alors ils se rattrapent 15 sur la morale. En somme, ils ont le satanisme vertueux. Drôle d'époque, vraiment! Quoi d'étonnant à ce que les esprits soient troublés et qu'un de mes amis, athée lorsqu'il était un mari irréprochable, se soit converti en devenant adultère!

Ah! les petits sournois, comédiens, hypocrites, si touchants 20 avec ça! Croyez-moi, ils en sont tous, même quand ils incen- dient le ciel. Qu'ils soient athées ou dévots, moscovites ou bostoniens, tous chrétiens, de père en fils. Mais justement, il n'y a plus de père, plus de règle! On est libre, alors il faut se débrouiller et comme ils ne veulent surtout pas de la li- 25 berté, ni de ses sentences, ils prient qu'on leur donne sur les doigts, ils inventent de terribles règles, ils courent construire des bûchers pour remplacer les églises. Des Savonarole,[14] je vous dis. Mais ils ne croient qu'au péché, jamais à la grâce. Ils y pensent, bien sûr. La grâce, voilà ce qu'ils veulent, le 30 oui, l'abandon, le bonheur d'être et qui sait, car ils sont sen- timentaux aussi, les fiançailles, la jeune fille fraîche, l'homme

[14] **Savonarole** (Jérome) dominicain qui essaya d'établir à Florence une constitution mi-théocratique, mi-démocratique; il fut brûlé pour hérésie.

droit, la musique. Moi, par exemple, qui ne suis pas sentimental, savez-vous ce dont j'ai rêvé: un amour complet de
tout le coeur et le corps, jour et nuit, dans une étreinte inces-
sante, jouissant et s'exaltant, et cela cinq années durant, et
5   après quoi la mort. Hélas!

Alors, n'est-ce pas, faute de fiançailles ou de l'amour in-
cessant, ce sera le mariage, brutal, avec la puissance et le
fouet. L'essentiel est que tout devienne simple, comme pour
l'enfant, que chaque acte soit commandé, que le bien et le
10 mal soient désignés de façon arbitraire, donc évidente. Et moi,
je suis d'accord, tout sicilien et javanais que je sois, avec ça
pas chrétien pour un sou, bien que j'aie de l'amitié pour le
premier d'entre eux. Mais sur les ponts de Paris, j'ai appris
moi aussi que j'avais peur de la liberté. Vive donc le maître,
15 quel qu'il soit, pour remplacer la loi du ciel. «Notre père qui
êtes provisoirement ici... Nos guides, nos chefs délicieusement
sévères, ô conducteurs cruels et bien-aimés...» Enfin, vous
voyez, l'essentiel est de n'être plus libre et d'obéir, dans le
repentir, à plus coquin que soi. Quand nous serons tous cou-
20 pables, ce sera la démocratie. Sans compter, cher ami, qu'il
faut se venger de devoir mourir seul. La mort est solitaire
tandis que la servitude est collective. Les autres ont leur
compte aussi, et en même temps que nous, voilà l'important.
Tous réunis, enfin, mais à genoux, et la tête courbée.

25 N'est-il pas bon aussi bien de vivre à la ressemblance de la
société et pour cela ne faut-il pas que la société me ressemble?
La menace, le déshonneur, la police sont les sacrements de
cette ressemblance. Méprisé, traqué, contraint, je puis alors
donner ma pleine mesure, jouir de ce que je suis, être naturel
30 enfin. Voilà pourquoi, très cher, après avoir salué solennelle-
ment la liberté, je décidai en catimini qu'il fallait la remettre
sans délai à n'importe qui. Et chaque fois que je le peux, je
prêche dans mon église de *Mexico-City,* j'invite le bon peuple

à se soumettre et à briguer humblement les conforts de la
servitude, quitte à la présenter comme la vraie liberté.

Mais je ne suis pas fou, je me rends bien compte que l'esclavage n'est pas pour demain. Ce sera un des bienfaits de
l'avenir, voilà tout. D'ici là, je dois m'arranger du présent et   5
chercher une solution, au moins provisoire. Il m'a donc fallu
trouver un autre moyen d'étendre le jugement à tout le
monde pour le rendre plus léger à mes propres épaules. J'ai
trouvé ce moyen. Ouvrez un peu la fenêtre, je vous prie, il
fait ici une chaleur extraordinaire. Pas trop, car j'ai froid   10
aussi. Mon idée est à la fois simple et féconde. Comment mettre tout le monde dans le bain pour avoir le droit de se sécher
soi-même au soleil? Allais-je monter en chaire, comme beaucoup de mes illustres contemporains, et maudire l'humanité?
Très dangereux, ça! Un jour, ou une nuit, le rire éclate sans   15
crier gare. La sentence que vous portez sur les autres finit par
vous revenir dans la figure, tout droit, et y pratique quelques
dégâts. Alors? dites-vous. Eh bien, voilà le coup de génie. J'ai
découvert qu'en attendant la venue des maîtres et de leurs
verges, nous devions, comme Copernic,[15] inverser le raison-   20
nement pour triompher. Puisqu'on ne pouvait condamner
les autres sans aussitôt se juger, il fallait s'accabler soi-même
pour avoir le droit de juger les autres. Puisque tout juge finit
un jour en pénitent, il fallait prendre la route en sens inverse
et faire métier de pénitent pour pouvoir finir en juge. Vous   25
me suivez? Bon. Mais pour être encore plus clair, je vais vous
dire comment je travaille.

J'ai d'abord fermé mon cabinet d'avocat, quitté Paris, voy-
agé; j'ai cherché à m'établir sous un autre nom dans quelque
endroit où la pratique ne me manquerait pas. Il y en a a   30
beaucoup dans le monde, mais le hasard, la commodité, l'iro-

---

[15] **Copernic** (Nicolas) astronome polonais qui démontra le double mouvement des planètes sur elles-mêmes et autour du soleil.

nie, et la nécessité aussi d'une certaine mortification, m'ont
fait choisir une capitale d'eaux et de brumes, corsetée de canaux, particulièrement encombrée, et visitée par des hommes
venus du monde entier. J'ai installé mon cabinet dans un bar
du quartier des matelots. La clientèle des ports est diverse.
Les pauvres ne vont pas dans les districts luxueux, tandis que
les gens de qualité finissent toujours par échouer, une fois au
moins, vous l'avez bien vu, dans les endroits mal famés. Je
guette particulièrement le bourgeois, et le bourgeois qui
s'égare; c'est avec lui que je donne mon plein rendement. Je
tire de lui, en virtuose, les accents les plus raffinés.

J'exerce donc à *Mexico-City*, depuis quelque temps, mon
utile profession. Elle consiste d'abord, vous en avez fait l'expérience, à pratiquer la confession publique aussi souvent
que possible. Je m'accuse, en long et en large. Ce n'est pas difficile, j'ai maintenant de la mémoire. Mais attention, je ne
m'accuse pas grossièrement, à grands coups sur la poitrine.
Non, je navigue souplement, je multiplie les nuances, les digressions aussi, j'adapte enfin mon discours à l'auditeur,
j'amène ce dernier à renchérir. Je mêle ce qui me concerne
et ce qui regarde les autres. Je prends les traits communs, les
expériences que nous avons ensemble souffertes, les faiblesses
que nous partageons, le bon ton, l'homme du jour enfin, tel
qu'il sévit en moi et chez les autres. Avec cela, je fabrique un
portrait qui est celui de tous et de personne. Un masque, en
somme, assez semblable à ceux du carnaval, à la fois fidèles
et simplifiés, et devant lesquels on se dit: «Tiens, je l'ai rencontré, celui-là!» Quand le portrait est terminé, comme ce
soir, je le montre, plein de désolation: «Voilà, hélas! ce que
je suis.» Le réquisitoire est achevé. Mais, du même coup, le
portrait que je tends à mes contemporains devient un miroir.

Couvert de cendres, m'arrachant lentement les cheveux, le
visage labouré par les ongles, mais le regard perçant, je me
tiens devant l'humanité entière, récapitulant mes hontes, sans

perdre de vue l'effet que je produis, et disant: «J'étais le dernier des derniers.» Alors, insensiblement, je passe, dans mon
discours, du «je» au «nous.» Quand j'arrive au «voilà ce que
nous sommes,» le tour est joué, je peux leur dire leurs vérités.
Je suis comme eux, bien sûr, nous sommes dans le même   5
bouillon. J'ai cependant une supériorité, celle de le savoir, qui
me donne le droit de parler. Vous voyez l'avantage, j'en suis
sûr. Plus je m'accuse et plus j'ai le droit de vous juger. Mieux,
je vous provoque à vous juger vous-même, ce qui me soulage
d'autant. Ah! mon cher, nous sommes d'étranges, de miséra-   10
bles créatures et, pour peu que nous revenions sur nos vies,
les occasions ne manquent pas de nous étonner et de nous
scandaliser nous-mêmes. Essayez. J'écouterai, soyez-en sûr,
votre propre confession, avec un grand sentiment de frater-
nité.   15

Ne riez pas! Oui, vous êtes un client difficile, je l'ai vu du
premier coup. Mais vous y viendrez, c'est inévitable. La plupart des autres sont plus sentimentaux qu'intelligents; on les
désoriente tout de suite. Les intelligents, il faut y mettre le
temps. Il suffit de leur expliquer la méthode à fond. Ils ne   20
l'oublient pas, ils réfléchissent. Un jour ou l'autre, moitié
par jeu, moitié par désarroi, ils se mettent à table.[16] Vous,
vous n'êtes pas seulement intelligent, vous avez l'air rodé.[17]
Avouez cependant que vous vous sentez, aujourd'hui, moins
content de vous-même que vous ne l'étiez il y a cinq jours?   25
J'attendrai maintenant que vous m'écriviez ou que vous reve-
niez. Car vous reviendrez, j'en suis sûr! Vous me trouverez
inchangé. Et pourquoi changerais-je puisque j'ai trouvé le
bonheur qui me convient? J'ai accepté la duplicité au lieu
de m'en désoler. Je m'y suis installé, au contraire, et j'y ai   30

---

[16] **Se mettre à table** «spill the beans.» Expression très familière à éviter
dans la conversation.
[17] **L'air rodé** roder une voiture: «to break in a car.» Avoir l'air rodé,
expression figurée: avoir beaucoup d'expérience.

trouvé le confort que j'ai cherché toute ma vie. J'ai eu tort, au fond, de vous dire que l'essentiel était d'éviter le jugement. L'essentiel est de pouvoir tout se permettre, quitte à professer de temps en temps, à grands cris, sa propre indignité. Je me permets tout, à nouveau, et sans rire, cette fois. Je n'ai pas changé de vie, je continue de m'aimer et de me servir des autres. Seulement, la confession de mes fautes me permet de recommencer plus légèrement et de jouir deux fois, de ma nature d'abord, et ensuite d'un charmant repentir.

Depuis que j'ai trouvé ma solution, je m'abandonne à tout, aux femmes, à l'orgueil, à l'ennui, au ressentiment, et même à la fièvre qu'avec délices je sens monter en ce moment. Je règne enfin, mais pour toujours. J'ai encore trouvé un sommet, où je suis seul à grimper et d'où je peux juger tout le monde. Parfois, de loin en loin, quand la nuit est vraiment belle, j'entends un rire lointain, je doute à nouveau. Mais, vite, j'accable toutes choses, créatures et création, sous le poids de ma propre infirmité, et me voilà requinqué.

J'attendrai donc vos hommages à *Mexico-City*, aussi longtemps qu'il le faudra. Mais ôtez cette couverture, je veux respirer. Vous viendrez, n'est-ce pas? Je vous montrerai même les détails de ma technique, car j'ai une sorte d'affection pour vous. Vous me verrez leur apprendre à longueur de nuit qu'ils sont infâmes. Dès ce soir, d'ailleurs, je recommencerai. Je ne puis m'en passer, ni me priver de ces moments où l'un d'eux s'écroule, l'alcool aidant, et se frappe la poitrine. Alors je grandis, très cher, je grandis, je respire librement, je suis sur la montagne, la plaine s'étend sous mes yeux. Quelle ivresse de se sentir Dieu le père et de distribuer des certificats définitifs de mauvaise vie et moeurs. Je trône parmi mes vilains anges, à la cime du ciel hollandais, je regarde monter vers moi, sortant des brumes et de l'eau, la multitude du jugement dernier. Ils s'élèvent lentement, je vois arriver déjà le premier d'entre eux. Sur sa face égarée, à moitié cachée par une main,

je lis la tristesse de la condition commune, et le désespoir de
ne pouvoir y échapper. Et moi, je plains sans absoudre, je
comprends sans pardonner et surtout, ah, je sens enfin que
l'on m'adore!

Oui, je m'agite, comment resterais-je sagement couché? Il
me faut être plus haut que vous, mes pensées me soulèvent.
Ces nuits-là, ces matins plutôt, car la chute se produit à l'aube,
je sors, je vais, d'une marche emportée, le long des canaux.
Dans le ciel livide, les couches de plumes s'amincissent, les
colombes remontent un peu, une lueur rosée annonce, au ras
des toits, un nouveau jour de ma création. Sur le Damrak, le
premier tramway fait tinter son timbre dans l'air humide et
sonne l'éveil de la vie à l'extrémité de cette Europe où, au
même moment, des centaines de millions d'hommes, mes su-
jets, se tirent péniblement du lit, la bouche amère, pour aller
vers un travail sans joie. Alors, planant par la pensée au-dessus de tout ce continent qui m'est soumis sans le savoir, buvant le jour d'absinthe qui se lève, ivre enfin de mauvaises
paroles, je suis heureux, je suis heureux, vous dis-je, je vous
interdis de ne pas croire que je suis heureux, je suis heureux
à mourir! Oh, soleil, plages, et les îles sous les alizés, jeunesse
dont le souvenir désespère!

Je me recouche, pardonnez-moi. Je crains de m'être exalté;
je ne pleure pas, pourtant. On s'égare parfois, on doute de
l'évidence, même quand on a découvert les secrets d'une
bonne vie. Ma solution, bien sûr, ce n'est pas l'idéal. Mais
quand on n'aime pas sa vie, quand on sait qu'il faut en
changer, on n'a pas le choix, n'est-ce pas? Que faire pour être
un autre? Impossible. Il faudrait n'être plus personne, s'oublier pour quelqu'un, une fois, au moins. Mais comment? Ne
m'accablez pas trop. Je suis comme ce vieux mendiant qui ne
voulait pas lâcher ma main, un jour, à la terrasse d'un café:
«Ah! monsieur, disait-il, ce n'est pas qu'on soit mauvais
homme, mais on perd la lumière.» Oui, nous avons perdu la

lumière, les matins, la sainte innocence de celui qui se pardonne à lui-même.

Regardez, la neige tombe! Oh, il faut que je sorte! Amsterdam endormie dans la nuit blanche, les canaux de jade sombre sous les petits ponts neigeux, les rues désertes, mes pas étouffés, ce sera la pureté, fugitive, avant la boue de demain. Voyez les énormes flocons qui s'ébouriffent contre les vitres. Ce sont les colombes, sûrement. Elles se décident enfin à descendre, ces chéries, elles couvrent les eaux et les toits d'une épaisse couche de plumes, elles palpitent à toutes les fenêtres. Quelle invasion! Espérons qu'elles apportent la bonne nouvelle. Tout le monde sera sauvé, hein, et pas seulement les élus, les richesses et les peines seront partagées et vous, par exemple, à partir d'aujourd'hui, vous coucherez toutes les nuits sur le sol, pour moi. Toute la lyre, quoi! Allons, avouez que vous resteriez pantois si un char descendait du ciel pour m'emporter, ou si la neige soudain prenait feu. Vous n'y croyez pas? Moi non plus. Mais il faut tout de même que je sorte.

Bon, bon, je me tiens tranquille, ne vous inquiétez pas! Ne vous fiez pas trop d'ailleurs à mes attendrissements, ni à mes délires. Ils sont dirigés. Tenez, maintenant que vous allez me parler de vous, je vais savoir si l'un des buts de ma passionnante confession est atteint. J'espère toujours, en effet, que mon interlocuteur sera policier et qu'il m'arrêtera pour le vol des *Juges intègres*. Pour le reste, n'est-ce pas, personne ne peut m'arrêter. Mais quant à ce vol, il tombe sous le coup de la loi et j'ai tout arrangé pour me rendre complice; je recèle ce tableau et le montre à qui veut le voir. Vous m'arrêteriez donc, ce serait un bon début. Peut-être s'occuperait-on ensuite du reste, on me décapiterait, par exemple, et je n'aurais plus peur de mourir, je serais sauvé. Au-dessus du peuple assemblé, vous élèveriez alors ma tête encore fraîche, pour qu'ils s'y reconnaissent et qu'à nouveau je les domine, exemplaire. Tout serait consommé, j'aurais achevé, ni vu ni connu, ma carrière de faux prophète qui crie dans le désert et refuse d'en sortir.

Mais, bien entendu, vous n'êtes pas policier, ce serait trop simple. Comment? Ah! je m'en doutais, voyez-vous. Cette étrange affection que je sentais pour vous avait donc du sens. Vous exercez à Paris la belle profession d'avocat! Je savais bien que nous étions de la même race. Ne sommes-nous pas tous semblables, parlant sans trêve et à personne, confrontés toujours aux mêmes questions bien que nous connaissions d'avance les réponses? Alors, racontez-moi, je vous prie, ce qui vous est arrivé un soir sur les quais de la Seine et comment vous avez réussi à ne jamais risquer votre vie. Prononcez vous-même les mots qui, depuis des années, n'ont cessé de retentir dans mes nuits, et que je dirai enfin par votre bouche: «O jeune fille, jette-toi encore dans l'eau pour que j'aie une seconde fois la chance de nous sauver tous les deux!» Une seconde fois, hein, quelle imprudence! Supposez, cher maître, qu'on nous prenne au mot? Il faudrait s'exécuter. Brr...! l'eau est si froide! Mais rassurons-nous! Il est trop tard, maintenant, il sera toujours trop tard. Heureusement!

Exercices

1. Que propose le narrateur à cet homme qu'il vient de rencontrer?
2. Comment le narrateur décrit-il le barman? Où se trouve le bar dont il est ici question?
3. A quoi «Monsieur» invite-t-il le narrateur?
4. Pourquoi le barman boude-t-il les langues civilisées?
5. Pourquoi le narrateur éprouve-t-il de la nostalgie pour les primates?
6. Qu'y a-t-il sur le mur du fond?
7. Comment la société a-t-elle gâté un peu la franche simplicité de la nature du barman?
8. Comment est le narrateur?
9. D'où vient-il?
10. Quelle indication l'imparfait du subjonctif nous donne-t-il sur le caractère du narrateur?
11. Comment les historiens de l'avenir décriront-ils l'homme moderne?
12. Décrivez les Hollandais selon le narrateur.
13. Quelle est l'organisation de notre société selon le narrateur?
14. Croyez-vous que le narrateur soit injuste? Pourquoi?
15. Qui est le narrateur? nom? profession? âge?
16. Qu'est-ce qui l'intéresse plus que les professions?
17. Décrivez Clamence en montrant les contrastes dont il est fait.
18. Qui paie les consommations? Pourquoi?
19. Où habite le «Monsieur»? Et où habite Clamence?
20. Quel commentaire fait Clamence sur l'oppression des juifs par Hitler?
21. Quel est l'effet sur Clamence de ces terribles événements?
22. De quelles «guerres de religion» l'auteur parle-t-il?
23. Qu'est-ce qui est arrivé à son ami pacifiste, libertaire?

24. Que fait Clamence la nuit?
25. Pourquoi Clamence aime-t-il les Hollandais?
26. A quoi ressemble Amsterdam avec ses canaux concentriques?
27. Pourquoi Clamence quitte-t-il son ami près du pont?

EXERCICES DE VOCABULAIRE

A   Trouvez l'équivalent des mots suivants dans le texte:

1. l'action de secourir
2. fatiguer par excès de bruit
3. en parlant d'un moteur, tourner régulièrement
4. murmurer ou remuer pour manifester son impatience
5. parler d'une manière inintelligible (*fam.*)
6. fréquenter habituellement
7. la profession
8. action de laver avec de l'eau alcaline
9. clarté faible ou éphémère
10. marque distinctive placée sur la façade d'une maison de commerce

B   Expliquez en français les expressions suivantes, puis employez chacune d'elles dans une phrase:

1. la nostalgie	6. le raffinement
2. gâter	7. la méfiance
3. bavard	8. coincé
4. un trompe-l'oeil	9. cuivré
5. le quadragénaire	10. plaider

SUJETS DE COMPOSITION

1. Quelle impression Clamence fait-il sur vous?
2. A propos du barman le narrateur dit: «c'est le silence des forêts primitives, chargé jusqu'à la gueule.» Commentez cette remarque.

3. Décrivez Amsterdam et ses habitants tels que Clamence les voit.

QUESTIONNAIRE (pp. 26-33)

1. Qu'est-ce que Clamence cherche à définir dans ce chapitre?
2. Quelle était sa spécialité comme avocat?
3. Pourquoi Clamence dit-il qu'il avait «le coeur sur les manches»?
4. Que pensait-il de la justice?
5. Quelle importance le sentiment de leur droit a-t-il pour les hommes?
6. Pourquoi l'industriel tua-t-il sa femme?
7. Quelle sorte de clients Clamence acceptait-il?
8. Expliquer la phrase: «j'étais vraiment irréprochable dans ma vie professionnelle.»
9. Donnez des exemples de la bonté naturelle de Clamence.
10. Comment jouissait-il de sa propre nature?
11. Que veut dire Clamence par la phrase: «eh bien, moi, c'était pire: j'exultais.»
12. Qu'est-ce que sa politesse lui permettait de faire?
13. Quel était le plus grand plaisir qu'il tirait de ses actes de générosité?
14. Que vous font comprendre ces petits détails sur le caractère de Clamence?
15. Cherchez tous les mots qui désignent les lieux qu'il préférait.
16. Quel est le point culminant de la vertu?
17. Quel métier manuel aurait préféré Clamence?
18. Quelle est la signification de ce besoin d'être au-dessus?
19. Quels métiers, quels lieux déplaisaient à Clamence?
20. Pourquoi sa profession le satisfaisait-elle? Comment?
21. Expliquez la phrase «je vivais impunément...»
22. Selon Clamence qu'est-ce qui pousse souvent un criminel à tuer?
23. Que faisaient ces criminels pour Clamence?
24. D'où venait le succès mondain de Clamence?

25. Pourquoi Clamence régnait-il dans une lumière édénique?
26. Comment définit-il «une vie réussie»?

Exercices de vocabulaire

A Trouvez l'équivalent des mots suivants dans le texte:

1. contrôlé
2. le dédain
3. une force, une inspiration
4. un titre d'invention
5. passage pour piétons
6. état d'une auto qui ne marche pas
7. la charité
8. ennuyer
9. le sommet d'un arbre
10. un insecte travailleur

B Expliquez en français les expressions suivantes, puis employez chacune d'elles dans une phrase:

1. moisir
2. un sommet
3. impunément
4. déployer
5. en revanche
6. la désinvolture
7. la chair
8. un accord
9. grimper
10. une amertume

Sujets de composition

1. Expliquez la phrase: «ce point culminant où la vertu ne se nourrit plus que d'elle-même.»
2. Commentez le trait de caractère que révèle cette phrase de Clamence: «j'étais seul, bien au-dessus des fourmis humaines.»
3. Expliquez ce que veut dire Clamence: «l'Eden est la vie en prise directe.»

Questionnaire (pp. 33-43)

1. Clamence tenait-il à la vie? Comment?
2. En quoi se trouvait-il un peu surhomme?
3. Quelles étaient ses origines familiales?
4. Pourquoi se sentait-il autorisé au bonheur par un décret supérieur?
5. Quelle vie menait-il à cette époque?
6. Quand comprenait-il le secret des êtres?
7. Pourquoi se contente-t-il de la sympathie des gens?
8. En quoi l'amitié n'est-elle pas simple?
9. De quel homme extraordinaire avait-il entendu parler?
10. Quels sentiments la mort réveille-t-elle en nous?
11. Quelles sont les deux faces de l'homme?
12. Pourquoi les hommes ont-ils besoin de tragédie?
13. Décrivez la mort et l'enterrement du concierge de Clamence.
14. Que fit la concierge un mois après la mort de son mari? Puis,
    plus tard encore?
15. Pourquoi appelle-t-il la concierge une «tragédienne»?
16. Comment peut-on expliquer la plupart des engagements hu-
    mains?
17. Que faisait Clamence un soir d'automne?
18. De quoi était-il content ce soir-là?
19. Où s'est-il arrêté pour allumer une cigarette?
20. Qu'a-t-il entendu?
21. Décrivez le rire.
22. Qu'a-t-il fait?
23. Pourquoi lui semble-t-il que son sourire était double?
24. Pourquoi Clamence doit-il quitter son camarade?

Exercices de vocabulaire

A   Trouvez l'équivalent des mots suivants dans le texte:

1. se répandre par-dessus bord
2. se tenir en l'air

3. se dit de quelqu'un dont la faim est apaisée
4. diriger son coup vers
5. la dernière souffrance avant la mort
6. un profit inespéré
7. la caisse où l'on met un mort
8. battre
9. qui agit sans réflexion
10. un marchand de livres—sur les quais le long de la Seine

B Expliquez en français les expressions suivantes, puis employez chacune d'elles dans une phrase:

1. un buisson   6. un commis
2. hocher   7. un épanouissement
3. le salut   8. une éloge
4. déborder   9. luire
5. la rancune   10. un atout

Sujets de composition

1. Discutez les vues de Clamence sur l'amitié.
2. Expliquez ce que veut dire Clamence quand il dit: «je planais» ou «je régnais.»
3. Comment voyez-vous, au point où vous en êtes du livre, la relation entre Clamence et son interlocuteur?

Questionnaire (pp. 44-53)

1. Quel a été l'effet du rire sur Clamence?
2. Pourquoi a-t-il rendu visite aux médecins?
3. Où se place cette troisième conversation entre Clamence et son ami?
4. Quelle qualité d'Amsterdam plaît à Clamence?
5. Décrivez l'enseigne et sa signification.

6. Comment Clamence voit-il l'esclavage dans le monde moderne?
7. Comment philosophe la vieille Europe aujourd'hui?
8. Quelles sont les exigences de Clamence envers sa servante?
9. Quelle est sa définition d'un «homme libre»?
10. A quoi sert cette définition?
11. Quelle serait l'enseigne de Clamence?
12. Que veut dire sa devise?
13. Comment a-t-il découvert cette identité?
14. D'où venait son grand sentiment de liberté?
15. Quelle infirmité affligeait Clamence?
16. Quel était le résultat de cette infirmité?
17. Essayez de définir ce manque de continuité dont Clamence s'accuse.
18. Racontez l'anecdote du motocycliste.
19. De quoi Clamence s'est-il souvenu le plus dans cet incident?
20. De quelle manière s'est-il excusé?
21. Qu'aurait-il dû faire?
22. En quoi consistait son idée de l'honneur?
23. Quel est le rêve de tout homme intelligent selon Clamence?
24. Dans quelle mesure était-il du côté des accusés?
25. Que devenait-il quand il était menacé?

EXERCICES DE VOCABULAIRE

A   Trouvez l'équivalent des mots suivants dans le texte:

1. décider, résoudre
2. le séjour des damnés
3. exalter son propre mérite
4. un tissu; aussi (dans le texte), la valeur personnelle
5. commencer à rouler
6. dépasser une autre voiture
7. le mouvement général des voitures sur les routes
8. un lieu couvert devant la porte d'un édifice

9. la vengeance
10. le contraire d'innocent

B   Expliquez en français les expressions suivantes, puis employez chacune d'elles dans une phrase:

1. une étoile
2. une devise
3. ne pas revenir de quelque chose
4. brouiller
5. assommer

6. dégonflé
7. aussitôt
8. un feu vert
9. un lapsus
10. la bienveillance

SUJETS DE COMPOSITION

1. Commentez la phrase: «je ne me reconnaissais que des supériorités, ce qui expliquait ma bienveillance et ma sérénité.»
2. Essayez de dégager à travers le texte les opinions de Camus sur l'esclavage au XXe siècle.
3. Quelle est l'importance de l'histoire de Clamence et de l'homme à la motocyclette?

QUESTIONNAIRE (pp. 53-62)

1. A la page 53, Clamence dit qu'il a une histoire à raconter a propos d'une femme. Quand la raconte-t-il finalement?
2. De quoi parle-t-il d'abord?
3. Pourquoi réussit-il auprès des femmes?
4. De quoi est-on responsable après un certain âge?
5. Comment Clamence nous décrit-il son rapport avec les femmes?
6. Quelle est la signification de la phrase: «je les aimais»?
7. Quel est le verbe employé par Clamence qui caractérise le mieux sa relation avec les femmes?
8. Rencontre-t-on souvent, d'après Clamence, le véritable amour?

9. Quel est cet amour dont Clamence se déclare avoir été capable?
10. Que cherchait-il?
11. Comment s'arrangeait-il pour que la femme des amis fût sacrée?
12. Quelle incapacité congénitale avait-il?
13. Quelle était la seule chose qu'il appréciait dans la vie?
14. Quel exemple donne-t-il?
15. De quel vocabulaire se sert-il pour décrire sa façon de procéder avec les femmes. Faites une petite liste de ces mots.
16. Comment gagnait-il deux fois dans ces jeux?
17. Pourquoi voulait-il quelquefois renouer avec une femme qui lui donnait un plaisir médiocre?
18. Pourquoi le serment qui liait la femme libérait-il Clamence?
19. De quelle race était-il?
20. Quel est l'incident qui manifeste chez lui un égoïsme brutal?
21. Dans quelles circonstances de sa vie se jugeait-il, malgré les apparences, le plus digne? pourquoi?
22. Quelles étaient les conditions pour qu'il vécût heureux?
23. Quand l'incident du pont Royal a-t-il eu lieu?
24. Qui a-t-il vu sur le pont?
25. Qu'a-t-il entendu?
26. Qu'a-t-il fait au moment même? Qu'a-t-il fait le lendemain?

Exercices de vocabulaire

A   Trouvez l'équivalent des mots suivants dans le texte:

1. remettre quelque chose aux bons soins de quelqu'un
2. une manière de s'entendre répondre oui sans avoir posé aucune question claire
3. la haine des femmes
4. excès, débauche
5. ce qu'un personnage de théâtre dit d'un seul trait
6. immédiatement, tout de suite
7. adjectif qui décrit une personne qui affecte une vertu, un sentiment qu'elle n'a pas

8. moyen détourné pour se tirer d'embarras, pour éviter de répondre
9. disposition à s'accomoder aux goûts, aux désirs d'autrui pour lui plaire
10. remettre à plus tard

B   Expliquez en français les expressions suivantes, puis employez chacune d'elles dans une phrase:

1. être de bonne foi
2. utiliser
3. auparavant
4. être en peine de
5. favoriser
6. le compatriote
7. un échec
8. s'étaler
9. la contrainte
10. une bruine

Sujets de composition

1. Analysez l'attitude de Clamence à l'égard de l'amour.
2. Commentez la phrase de Clamence: «nul homme n'est hypocrite dans ses plaisirs.»
3. Comment l'anecdote de la noyée forme-t-elle un point culminant à l'analyse?

Questionnaire (pp. 63-71)

1. Pourquoi Clamence appelle-t-il le paysage hollandais un «paysage négatif»?
2. Pourquoi appelle-t-il ses amis des «complices»?
3. Comment sait-il qu'il n'a pas d'amis?
4. Pourquoi a-t-il renoncé à l'idée du suicide?
5. Quelles sont les deux raisons pour lesquelles il ne faut pas se tuer pour une femme?
6. Que faut-il éviter dans la vie à tout prix?
7. Expliquez ce que veut dire la phrase: «le malheur garantit notre innocence.»

8. Quelle est la signification de l'image du dompteur, à la page 67?
9. Pourquoi Clamence se sentait-il soudain vulnérable?
10. Comment le cercle dont il était le centre a-t-il changé?
11. Quelle est la signification du rire?
12. Quelle est la seule divinité raisonnable et pourquoi?
13. Quels étaient maintenant ses ennemis?
14. Pourquoi «l'air de la réussite» ne se pardonne-t-il pas?
15. Pourquoi les issues sont-elles fermées?
16. A quel moment précis a-t-il perdu ses forces d'un seul coup?
17. Quelle est la signification de l'anecdote du prisonnier à Buchenwald?
18. Dans quelle circonstance un criminel vous sera-t-il reconnaissant?
19. Pourquoi est-ce que tout le monde cherche à être riche?
20. Faut-il être sincère avec ses amis? Expliquez.
21. A qui nous confions-nous généralement?
22. Que souhaitons-nous?
23. Qu'est-ce que nous ne voulons pas?
24. De quelle manière sommes-nous tous des «anges neutres»?
25. Pourquoi Clamence a-t-il été obligé de se faire juge-pénitent?

EXERCICES DE VOCABULAIRE

A   Trouvez l'équivalent des mots suivants dans le texte:

1. construction destinée à retenir les eaux et à briser l'effort des vagues
2. terrain plat et uni couvert de gravier et de sable le long de la mer
3. rien; ce qui n'existe pas
4. nom donné à certains oiseaux assez semblables aux pigeons
5. témoigner de l'estime, du respect envers quelqu'un
6. doctrine qui repose sur la suspension du jugement (négatif ou positif) surtout en matière métaphysique

7. du peuple; populaire
8. se heurter le pied contre un obstacle
9. une personne qui se moque de quelqu'un ou qui le tourne en ridicule
10. mépris des convenances de la morale qui se traduit par une imprudence effrontée

B   Expliquez en français les expressions suivantes, puis employez chacune d'elles dans une phrase:

1. grisâtre
2. prendre au sérieux
3. à quoi bon
4. plier
5. défaillance

6. le semblable
7. venir à
8. consacrer
9. une réclamation
10. inversement

SUJETS DE COMPOSITION

1. A quoi servent les descriptions de paysage au début et à la fin de ce chapitre?
2. Discutez les rapports de Clamence avec ses contemporains.
3. Discutez les idées de Clamence sur la religion telles que vous les voyez à ce point du récit.

QUESTIONNAIRE (pp. 71-79)

1. Qu'est-ce que le «rire perpétuel» lui a appris?
2. Qu'est-ce qu'une vérité première?
3. Qu'est-ce que Clamence a compris alors?
4. Pourquoi voulait-il qu'on oublie la date de son anniversaire?
5. Comment ses défauts tournaient-ils à son avantage?
6. Est-ce que Clamence condamne ou décrit l'homme en ce moment? Donnez vos raisons.
7. Quelle est son excuse «misérable»?
8. Racontez l'anecdote du fumeur qui a cessé de fumer. Pourquoi a-t-il recommencé?

9. Quel rôle Clamence jouait-il dans sa vie?
10. Pourquoi aimait-il les sports et le théâtre?
11. Qu'est-ce qui a tout gâté à la fin?
12. Quelle image utilise-t-il pour décrire sa vie d'alors?
13. Qu'est-ce qui a fait irruption dans sa vie quotidienne?
14. Quelle crainte ridicule le poursuivait?
15. Pourquoi voulait-il avouer ses mensonges?
16. Quel remède a-t-il fini par trouver à son tourment?
17. Quelle sorte de salut la mort apporte-t-elle selon Clamence?
18. Qu'a-t-il décidé de faire un jour?
19. Décrivez quelques-unes des actions rêvées.
20. Pourquoi admirait-il le caractère du propriétaire russe?
21. Décrivez l'un de ces incidents qui avaient lieu dans les cafés où se réunissaient les humanistes professionnels.
22. Pourquoi faisait-il ces actions «puériles»?
23. Comment a-t-il jeté le trouble dans l'esprit des jeunes avocats stagiaires?
24. Quel a été le succès de ses «aimables incartades»?
25. Quelle est l'attitude qu'il lui a été le plus difficile à mettre à point?

EXERCICES DE VOCABULAIRE

A   Trouvez l'équivalent des mots suivants dans le texte:

1. révéler
2. chercher
3. désirer
4. le côté opposé
5. faire du mal à
6. adjectif qui veut dire «de tous les jours»
7. un assassinat
8. l'état dans lequel la tête tourne
9. Je fus au bout de mes forces
10. décider de

*B   Expliquez en français les expressions suivantes, puis employez
chacune d'elles dans une phrase:*

1. avoir beau + inf.   6. bousculer
2. soupçonneux   7. une langouste
3. les louanges   8. fouetter
4. une tâche   9. la fougue
5. le salut   10. crever

Sujets de composition

1. Estimez-vous que Clamence «prenait la vie au sérieux»?
2. Expliquez clairement la signification du rire.
3. Quelle raison psychologique pousse Clamence à «s'accuser»?

Questionnaire (pp. 80-86)

1. Où a lieu la conversation rapportée dans ce chapitre?
2. Montrez le contraste qui existe entre le Zuydersee et l'Archipel grec.
3. Décrivez la Grèce selon Clamence.
4. Pourquoi Clamence a-t-il décidé de quitter la société des hommes?
5. Où s'est-il réfugié?
6. De quoi sentait-il le besoin?
7. Quel en était le résultat?
8. Que cherchait-il?
9. Pourquoi ne l'a-t-il pas trouvé?
10. Pourquoi a-t-il conçu de l'horreur pour l'amour?
11. Que lui restait-il pour se conférer l'immortalité?
12. Pourquoi avait-il envie d'être immortel?
13. Que veut-il dire par «le goût amer de la condition mortelle»?
14. Quel jugement Clamence énonce-t-il sur la débauche?
15. Quel trait commun avaient la prostituée et la jeune fille?
16. Quel obstacle empêchait Clamence de trouver la paix?

17. Quel bénéfice a-t-il reçu de cette expérience?
18. Pourquoi peut-on dire que la jalousie est un effet de l'imagination?
19. Qu'est-ce que Clamence reproche au mariage bourgeois?
20. Pourquoi Clamence insiste-t-il tant sur la débauche?
21. Quel avantage a-t-il tiré de son mois d'orgie?
22. De quoi «mourait-il»?
23. Qu'est-ce qui a entamé sa réputation professionnelle?
24. Pourquoi plaidait-il bien encore?
25. A quoi passait-il ses soirées?

EXERCICES DE VOCABULAIRE

A   Trouvez l'équivalent des mots suivants dans le texte:

1. une marque employée pour reconnaître un lieu
2. avoir l'habitude de soigner l'extérieur
3. prendre un ton affecté
4. hors d'état de servir, disloqué
5. action de préparer à un sport, à un exercice, etc.
6. action de perdre son chemin
7. garder le silence
8. qui exalte son propre mérite
9. un dentiste
10. user lentement, miner, corroder

B   Expliquez en français les expressions suivantes, puis employez chacune d'elles dans une phrase:

1. dessécher
2. les poumons
3. un corbillard
4. des pantoufles
5. le foie
6. le péché
7. l'ivresse
8. au-delà
9. un ingénieur
10. l'écume

Sujets de composition

1. Commentez le mépris du bourgeois exprimé par Camus.
2. Expliquez pourquoi Clamence parle de la Grèce en des termes si lyriques.
3. Expliquez ses raisons de se tourner à la débauche.

Questionnaire (pp. 86-94)

1. Pourquoi Clamence se trouvait-il «naturellement» sur le pont supérieur du bateau?
2. Pourquoi était-il sur le point de crier?
3. Qu'a-t-il compris alors?
4. Quelle est la signification de la phrase: «l'eau amère de mon baptême»?
5. Expliquez le «malconfort.»
6. Que veut-il dire par «mon raisonnement se casserait le nez»?
7. Quelle est la seule chose que nous pouvons affirmer à coup sûr?
8. Comment les religions se trompent-elles?
9. Pourquoi est-ce que Dieu n'est pas nécessaire pour créer la culpabilité?
10. Pourquoi attend-il le jugement dernier «de pied ferme»?
11. Quel peuple voulait prouver qu'il était le plus grand de la terre?
12. Décrivez cette horrible invention de ces hommes.
13. Comment voudrait-il voir la religion?
14. Expliquez la référence à ces «trois ans» à la page 89?
15. Expliquez ce tour de phrase: «c'est à qui crachera le premier.»
16. Pourquoi ne faut-il pas attendre le jugement dernier?
17. Pourquoi, selon Clamence, a-t-on crucifié le Christ?
18. De quel point de vue n'était-il pas tout à fait innocent?
19. Quelle chose est réellement surhumaine?
20. Quelle injustice le monde a-t-il faite à Jésus?

21. Qu'a dit le Seigneur à la pécheresse?
22. Que font les hommes au contraire?
23. Quelle phrase avez-vous trouvée dans ce passage qui est amèrement ironique?
24. Expliquez pourquoi Clamence trouve de l'ironie dans la phrase de Jésus: «sur cette pierre...etc.»
25. Expliquez pourquoi nous sommes dans ce tourment d'être «jugés sans loi.»

EXERCICES DE VOCABULAIRE

A   Trouvez l'équivalent des mots suivants dans le texte:

1. célébrer, honorer par une célébration
2. le bras de mer qui sépare la France de l'Angleterre
3. récipient qui contient de l'eau bénite
4. état d'une personne coupable
5. être fortement ému, s'agiter vivement ou légèrement
6. exprimer sa peine, sa douleur par des sons plaintifs
7. qui manque de courage, *coward (pop.)*
8. personne qui prédit par inspiration divine
9. soutenir; tolérer
10. ce qui retient dans les limites de la loi *(fig.)*

B   Expliquez en français les expressions suivantes, puis employez chacune d'elles dans une phrase:

1. détourner	6. de pied ferme
2. le noyé	7. ignorer
3. ankyloser	8. censurer
4. la trouvaille	9. le grenier
5. se tromper	10. vilain

SUJETS DE COMPOSITION

1. Expliquez la phrase: «nous ne pouvons affirmer l'innocence de personne, tandis que nous pouvons affirmer à coup sûr la culpabilité de tous.»

2. Quelle est l'attitude de Clamence envers Jésus?
3. Pourquoi Clamence est-il «un prophète vide pour temps médiocres»?

QUESTIONNAIRE (pp. 95-104)

1. Pourquoi Clamence souffre-t-il du paludisme?
2. A quoi compare-t-il le mensonge et comment le justifie-t-il?
3. Expliquez comment, pendant l'Occupation, il a découvert qu'il était patriot.
4. Pourquoi a-t-il abandonné l'idée d'entrer dans la Résistance?
5. Pourquoi fut-il arrêté à Tunis?
6. Quelle est votre réaction à sa phrase: «je ne sais ce qu'elle devint.»
7. Pourquoi le jeune Français qui s'appelle Duguesclin, avait-il été désillusionné?
8. Selon Duguesclin, de qui les hommes avaient-ils besoin? Et comment voulait-il qu'on choisît ce nouveau guide?
9. En quoi consistait le «pontificat» de Clamence?
10. Quel était le grand problème dans le camp?
11. Quelle bassesse Clamence raconte-t-il sur lui-même concernant son expérience au camp?
12. Comment «naissent les empires et les églises»?
13. Comment justifie-t-il la détention du tableau volé?
14. Pourquoi veut-il le garder près de lui?
15. Que veut-il dire en déclarant qu'il n'y plus d'agneau?
16. Il dit ici: «nous sommes dans l'ordre.» Quel est cet ordre?
17. Par quelle idée son discours est-il orienté?
18. Quel est son principe de base?
19. Que donne-t-il au lieu de l'absolution?
20. Comment traite-t-il tous les hommes?
21. Sous quelle enseigne vivait-il autrefois?
22. Quels exemples en donne-t-il?
23. Qu'a-t-il compris finalement?
24. Qu'y a-t-il au bout de toute liberté?
25. Pourquoi est-elle trop lourde à porter?

Exercices de vocabulaire

A   Trouvez l'équivalent des mots suivants dans le texte:

1. chef de l'église
2. contraire à la vérité
3. entamer, briser les angles
4. priver de liberté sans motif d'ordre pénal
5. ensemble des touches d'un piano
6. chose dite ou faite pour amuser
7. s'abstenir, s'ôter la jouissance de
8. homicide volontaire
9. bien fermé
10. partie d'un ouvrage d'art; planchette de bois servant de support à un tableau.

B   Expliquez en français les expressions suivantes, puis employez chacune d'elles dans une phrase:

1. un verrou
2. maquiller
3. emboîter le pas
4. se renseigner
5. une mesure de sureté

6. avoir la foi
7. le pontificat
8. boucler la boucle
9. la propriété
10. le placard

Sujets de composition

1. Examinez le patriotisme de Clamence.
2. A quelles conditions la papauté pourrait-elle maintenir vraiment la communauté des souffrances humaines selon le personnage que présente Clamence?
3. Pourquoi Clamence garde-t-il le panneau de Van Eyck chez lui?

QUESTIONNAIRE (pp. 104-113)

1. Que faut-il faire, puisque Dieu n'est plus à la mode?
2. Qu'est-ce qui empêche nos moralistes de se convertir?
3. Que font aujourd'hui les écrivains?
4. En quoi les athées et les dévots, les moscovites et les bostoniens se ressemblent-ils?
5. A quoi croient-ils tous?
6. Comment Clamence définit-il la grâce?
7. Qu'a-t-il appris sur les ponts de Paris?
8. Pourquoi faut-il se venger de la mort?
9. Quelle doctrine Clamence prêche-t-il dans son êglise?
10. Pourquoi voulait-il étendre le jugement à tout le monde?
11. Que devient la sentence que vous portez sur les autres?
12. Pourquoi Clamence agit-il en pénitent?
13. Comment en est-il venu à choisir Amsterdam?
14. Qui guette-t-il tout particulièrement?
15. Que fabrique-t-il par ses accusations de lui-même?
16. A quel moment peut-il dire leurs vérités à ses contemporains?
17. Où Clamence a-t-il trouvé le confort qu'il avait cherché toute sa vie?
18. Décrivez-le sur son sommet.
19. Que fait-il quand il se sent Dieu le Père?
20. Qu'est-ce qui se produit à l'aube?
21. Qu'avons-nous perdu?
22. Décrivez Amsterdam à cet instant du récit.
23. Pourquoi Clamence espère-t-il toujours être arrêté?
24. Que demande-t-il à son auditeur?
25. Que dit Clamence au sujet d'une seconde chance?

EXERCICES DE VOCABULAIRE

A   Trouvez l'équivalent des mots suivants dans le texte:

1. un frère, un voisin, un autre membre de l'espèce humaine
2. qui cache ce qu'il pense
3. action de serrer dans les bras
4. poursuivre
5. au risque de
6. servitude
7. estrade d'où parle un prédicateur
8. dire du mal de
9. dommage causé par quelque acte de violence
10. attendre quelqu'un au passage

*B   Expliquez en français les expressions suivantes, puis employez
chacune d'elles dans une phrase:*

1. un romancier
2. accabler
3. en sens inverse
4. luxueux
5. encombrer
6. les cendres
7. arracher
8. le désarroi
9. un élu
10. une trêve

SUJETS DE COMPOSITION

1. Décrivez la façon dont Clamence interprète et déforme la religion traditionnelle afin de l'adapter à ses propres conceptions.
2. Expliquez la signification du titre du livre.
3. Est-il possible, selon vous, d'identifier les vues de Clamence à celles de Camus? Clamence vous semble-t-il être un personnage de roman?

Vocabulaire

The following glossary has been established to aid the student in reading this text but *not* to replace a general dictionary. Where the contextual meaning is unusual, it is given following the basic meaning of a word. About one thousand of the commonest words in French have been omitted, as have the most obvious true cognates. In many cases where the verb, the noun, the adjective, and the adverb, all derived from a basic stem, appear in the text, we have chosen key forms on the principle that the student should learn to see such relationships. The abbreviations are standard.

adj. adjective
adv. adverb
conj. conjunction
excl. exclamation
fam. familiar
indef. pron. indefinite pronoun
p.p. past participle
pl. plural

pop. popular
prep. preposition
s.f. substantive feminine
s.m. substantive masculine
usu. usually
v. verb
v.r. reflexive verb
vulg. vulgar

Some False Cognates

agonie *s.f.* death struggle
assister (à) *v.* be present (at)
brave (-) *adj. preceding noun,* good, decent
complexion *s.f.* constitution, disposition, temperament
confus (-e) *adj.* embarrassed
fixer *v.* set in place
lecture *s.f.* reading
parent *s.m.* relative

pièce *s.f.* room, play
    tout d'une — all together, all at one time
prétendre *v.* claim
propre (-) *adj. preceding noun,* one's own
sanction *s.f.* penalty
sensible (-) *adj.* sensitive
supporter *v.* bear, endure
user *v.* wear out

A

(s')abaisser *v.r.* lower oneself, stoop

abattement *s.m.* despondency

abattre, *v.* knock down

— **un travail** get through a lot of work

(s')— *v.r.* fall, crash down

abondamment *adv.* abundantly

abri *s.m.* shelter

abriter *v.* shelter

absinthe *s.f.* wormwood; a green alcoholic liquor containing oils of wormwood, anise, and other aromatics. Continued use causes nervous derangement.

absoudre *v.* absolve

(s')abstenir *v.r.* abstain

accabler *v.* overwhelm; burden

accès *s.m.* approach; fit, attack

accompagner *v.* accompany

accomplir *v.* accomplish, finish

accrocher *v.* hang up

(s')— *v.r.* cling, attach oneself

accroupissement *s.m.* squatting position

accueillir *v.* welcome, receive

achever *v.* complete, conclude, end

acquittement *s.m.* acquittal

actualité *s.f.* actuality, reality, event of the present moment

adhérer *v.* adhere, cling

admettre *v.* admit

adroit (-e) *adj.* skillful

aéré (-e) *adj.* ventilated, windy

affaire *s.f.* affair, matter; *pl.* business

afficher *v.* display

affreux (-se) *adj.* frightful

agacement *s.m.* irritation, annoyance

agacer *v.* irritate, annoy

agir *v.* act

(s')— **de** be a question of

agneau *s.m.* lamb

aguêts, aux — *adv.* watchful, on the lookout for

ahuri (-e) *adj.* bewildered

—**e** *s.f.* empty-headed woman

aigu (-ë) *adj.* sharp, acute

aile *s.f.* wing

ailleurs *adv.* elsewhere

d'— *adv.* besides

ainsi *adv.* thus, so, in this (that) manner

aisé (-e) *adj.* easy

alerter *v.* give an alarm, warn

aliéné *s.m.* insane person

alizé (-e) *adj.* soft

vents —**s** tradewinds

alléchant (-e) *adj.* attractive, enticing

allégrement *adv.* cheerfully, briskly

allemand (-e) *adj.* + *s.m./f.* German

allure *s.f.* walk, gait

à bonne — at a good speed

amant *s.m.* lover

âme *s.f.* soul

améliorer *v.* improve

amener *v.* bring, lead

amer (-ère) *adj.* bitter

amertume *s.f.* bitterness

(s')amincer *v.* grow thinner

âne *s.m.* donkey

ange *s.m.* angel

angoisse *s.f.* anguish

ankyloser *v.* stiffen

anonymat *s.m.* anonymity

apaisement *s.m.* calming, relief

apaiser *v.* soothe

apercevoir *v.* perceive

(s')— *v.r.* notice

apéritif *s.m.* appetizer wine

apeuré (-e) *adj.* frightened

(s')apitoyer *v.r.* feel pity for

apothéose *s.f.* apotheosis, deification

apôtre *s.m.* apostle

apparaître *v.* appear

appartenir *v.* belong to

appel *s.m.* call
  faire — à appeal to

appréhender *v.* seize; *à la p. 67,* perceive

apprenti *s.m.* apprentice

approchant (-e) *adj.* similar

après *prep.* after
  — coup after the fact

archipel *s.m.* archipelago

arpenter *v.* pace

arracher *v.* tear out

arracheur de dents *s.m.* (*fam.*) dentist

arranger *v.* arrange
  (s')— *v.r.* manage

arrêt *s.m.* stop
  point d'— *s.m.* bus stop

arrière-pensée *s.f.* mental reservation

arrière-train *s.m.* hind quarter (of an animal)

assener *v.* strike a blow, hit over the head

asservir *v.* enslave
  (s')— *v.r.* submit

assiette *s.f.* plate
  n'être pas dans son — (*fam.*) be out of sorts, feel seedy

(s')assombrir *v.r.* darken

assommer *v.* knock on the head; *aux p. 30 et 83,* bore

assourdir *v.* deafen

athée *s.m.* atheist

atout s.m. trump (cards)

atteindre *v.* reach, attain

attendrissement *s.m.* feeling of tenderness, pity

attente *s.f.* expectation

atténuant (-e) *adj.* extenuating, palliating

atterrir *v.* sight land; land safely

attirance *s.f.* attraction

attirer *v.* attract

aubaine *s.f.* windfall, godsend

aube *s.f.* dawn

audace *s.f.* audacity

auditeur *s.m.* listener

auditoire *s.m.* audience

augmenter *v.* increase

aumône *s.f.* alms

auparavant *adv.* previously

autrement *adv.* otherwise

autrui *pron. indef.* other people

avantager *v.* favor, give an advantage

avenir *s.m.* future

avertisseur *s.m.* automobile horn

aveu *s.m.* confession

aveugle (-) *adj. + s.m./f.* blind; blind person

(s')aviser *v.r.* come to one's mind; conceive the idea

avocat *s.m.* lawyer

avouer *v.* confess, admit

B

babine *s.f.* lip, chops (of an animal)

bafouiller *v.* splutter, stammer

baigner *v.* bathe

baiser *v.* kiss

baisser *v.* lower; diminish

baptême *s.m.* baptism

barbillon *s.m.* wattle (of a cock)

barque *s.f.* small boat

barre *s.f.* bar (legal)

baryton *s.m.* baritone

basse-fosse *s.f.* dungeon

bateau *s.m.* boat

bâtonnier *s.m.* president of the French bar

battement *s.m.* beating (of the heart)

bavard (-e) *adj.* garrulous, talkative

beaux-arts *s.m. pl.* fine arts

bénéfice *s.m.* profit

bénir *v.* bless

bénitier *s.m.* holy-water font

bête *s.f.* animal

bêtise *s.f.* stupidity

bienfait *s.m.* benefit, blessing

bienheureux (-se) *adj.* happy, blessed

bienveillance *s.f.* benevolence

bienvenu *s.m.* welcome

    soyez le — welcome!, consider yourself welcome

bijou *s.m.* jewel

bistro *s.m.* (*pop.*) tavern, corner bar

bizarrerie *s.f.* peculiarity

blanchissage *s.m.* laundering

blême (-) *adj.* deathly pale

blêmir *v.* become deathly pale

blessure *s.f.* wound

bondir *v.* leap

bonté *s.f.* goodness

bord *s.m.* shore

    à — de *prep.* aboard (a ship)

    au — de *prep.* on the shore of

bossu (-e) *adj.* hunchbacked

bouc *s.m.* goat

bouchée *s.f.* mouthful

boucler *v.* buckle; fasten in

bouder *v.* pout, sulk

boue *s.f.* mud

bouger *v.* move, budge

bouquiniste *s.m.* bookseller

bourré (-e) *adj.* full of, stuffed

bourse *s.f.* purse, bag, scholarship award

bousculer *v.* jostle

boutique *s.f.* shop

box *s.m.* witness stand

branle-bas *s.m.* (*fam.*) commotion, bustle

bref (-ève) *adj.* brief

bref *adv.* in short

brevet *s.m.* patent; certificate

brièvement *adv.* briefly

briguer *v.* solicit; try to obtain by intrigue

brimer *v.* persecute

briser *v.* break, shatter

    — net break clean, cut short

broncher *v.* flinch, wince

brouillard *s.m.* fog

brouiller *v.* confuse, mix up

bruine *s.f.* drizzle

brume *s.f.* mist

bûcher *s.m.* pile of faggots, stake

but *s.m.* goal

buter *v.* knock against, stumble over

C

cabinet (**d'avocat**) *s.m.* (lawyer's) office

caisse *s.f.* box, chest; *à la p. 38,* coffin

cale *s.f.* hold (of a ship)

calèche *s.f.* light carriage

calomnier *v.* slander

cambrioler *v.* (*fam.*) burglarize

cancre *s.m.* (*fam.*) dunce, dull student

canevas *s.m.* canvas

canne *s.f.* cane

caqueter *v.* (*fam.*) chatter

carabine *s.f.* rifle

caractère *s.m.* character, disposition

carrière *s.f.* career

carrosserie *s.f.* body (of a car)

cartouche *s.f.* cartridge

case *s.f.* pigeonhole

caser *v.* file; slip into place

casserole *s.f.* saucepan

catimini, en — *adv.* stealthily, on the sly

causerie *s.f.* talk, chat; short speech

cave *s.f.* cellar

caverne *s.f.* cave

céans *adv.* (*fam.*) within

céder *v.* yield

céleste (-) *adv.* heavenly

célibataire (-) *adj.* unmarried

cellulaire (-) *adj.* cellular; solitary

cellule *s.f.* cell

cendre *s.f.* ask

cercueil *s.m.* coffin

cerner *v.* encircle, surround

cesser *v.* stop

chagrin *s.m.* sorrow

chair *s.f.* flesh

chaleur *s.f.* heat

chameau *s.m.* camel

chance *s.f.* chance

chandelle *s.f.* candle

chapeau *s.m.* hat
   donner un coup de — tip one's hat

char *s.m.* chariot

chargé (-e) *adj.* loaded

charrette *s.f.* cart

chasseur (de cabaret) *s.m.* porter, doorman

châtiment *s.m.* punishment

chatterie *s.f.* (*usu. pl.*) delicacies, sweets

chaussée *s.f.* road

chef *s.m.* head, leader

chef-d'oeuvre *s.m.* masterpiece

cheminer *v.* walk; make one's way

chêne *s.m.* oak(tree)

chevalet *s.m.* frame, trestle

chevalier *s.m.* knight

chevelure *s.f.* hair

chevet *s.m.* head (of a bed)

chinois (-e) *adj.* + *s.m./f.* Chinese

choquer *v.* shock

chrétien (-ne) *adj.* + *s.m./f.* Christian

chute *s.f.* fall

cîme *s.f.* summit, top

ciment *s.m.* cement

cimetière *s.m.* cemetery

cintres *s.m. pl.* flies (theatre)

circulation *s.f.* traffic

ciseau *s.m.* chisel; *pl.* scissors

citoyen *s.m.* citizen

clarté *s.f.* light

classer *v.* classify

clavier *s.m.* keyboard

clos (-e) *adj.* enclosed

coffre *s.m.* chest, bin

cogner *v.* hammer in, bump
   — une personne beat up, knock about

coiffe *s.f.* headdress

coincer *v.* corner

col *s.m.* collar

colère *s.f.* anger

colombe *s.f.* dove

colon *s.m.* colonist

comble *s.m.* a heaping measure
   c'est le — that's the limit!

combler *v.* fill up

commettre *v.* do, commit

commis *s.m.* clerk

commodité *s.f.* convenience

communauté *s.f.* community

communiant *s.m.* communicant (eccles.)

compagne *s.f.* female companion

complaisance *s.f.* complacency, self-satisfaction

complice *s.m.* accomplice

compromettre *v.* compromise

compte *s.m.* account
   (se) rendre — de realize

comptoir *s.m.* counter

concitoyen *s.m.* fellow citizen

conclure *v.* finish, conclude

concours *s.m.* meeting, concourse
conducteur *s.m.* leader, driver
conduite *s.f.* conduct
(se) confesser *v.r.* confess one's sins
confier *v.* trust, confide
confondre *v.* merge, confuse, mix up
confrère *s.m.* colleague
conquérir (*p.p.* **conquis**) conquer
conseiller *s.m.* adviser, counsellor
conter *v.* tell (a story)
contestable (-) *adj.* debatable, questionable
contester *v.* contest, dispute
contourner *v.* skirt, avoid
contraindre *v.* compel, force
contrarier *v.* thwart
contredire *v.* contradict
convenance *s.f.* conformity; convenience
convenir *v.* suit, fit
convoîter *v.* desire, covet
coquille *s.f.* shell
coquin *s.m.* rogue, rascal, villain
corbillard *s.m.* hearse
corvée *s.f.* forced labor; (*fam.*) unpleasant job
côte *s.f.* slope, coast
couche *s.f.* layer
couler *v.* flow
couloir *s.m.* corridor
coup *s.m.* blow, stroke
   d'un — in one fell swoop
   être dans le — be in on the deal
   tomber sous le — de la loi fall foul of the law
coupable (-) *adj.* guilty
courbature *s.f.* stiffness
courber *v.* bend
courrier *s.m.* mail
course *s.f.* race
   — de fond long distance race
courtoisie *s.f.* courtesy

couverture *s.f.* blanket
couvreur *s.m.* roofer
crachat *s.m.* spittle
cracher *v.* spit
craindre *v.* fear
craquer *v.* crack, split
crasse *s.f.* filth
créer *v.* create
crépuscule *s.m.* twilight
crête *s.f.* crest
creuser *v.* dig
crever *v.* burst, split
crier *v.* cry out
   — sur les toits shout from the rooftops
   sans — gare without warning
crisser *v.* grate, rasp
crochet *s.m.* hook, blow
croc-en-jambe *s.m.* trip, stumble
   faire un — trip someone
croiser *v.* cross
   se — avec qqun. *v.r.* meet and pass someone
croyance *s.f.* belief
cuivré (**-e**) *adj.* bronzed
culpabilité *s.f.* guilt
cure *s.f.* cure
   faire une — take a cure
cygne *s.m.* swan

D

daigner *v.* deign
débarquement *s.m.* disembarkment
(se) débarrasser de *v.* get rid of
(se) débattre *v.* debate, struggle
déboire *s.m.* disappointment
déborder *v.* overflow
débridé (**-e**) *adj.* unbridled
débrouiller *v.* disentangle
   se — make one's way, get along
débusquer *v.* drive out of ambush, dislodge; oust, expel
décerner *v.* decree, enact
   — un prix give a prize

décès *s.m.* death, decease
déchaînement *s.m.* breaking loose
déchaîner *v.* unleash
déchirer *v.* tear, rend
décoloré (-e) *adj.* discolored; colorless
déconcerter *v.* upset, disconcert
décor *s.m.* background
décret *s.m.* decree
décrire *v.* describe
décrocher *v.* unhook, take down
décroître *v.* decrease, diminish
dédaigner *v.* disdain
défaire *v.* undo
défaut *s.m.* fault
défendre *v.* defend; forbid
défi *s.m.* challenge
défaillir *v.* grow weak, lose strength
défigurer *v.* distort, disfigure
défiler *v.* file by, run past
défroquer *v.* unfrock, force to give up holy orders
défunt *s.m.* dead man
dégât *s.m.* (*usu. pl.*) damage
dégonfler *v.* (*fam.*) deflate, wilt
dégoût *s.m.* disgust
dehors *adv.* outside
délayer *v.* dilute
délicatesse *s.f.* delicacy
délices *s.f. pl.* delights, pleasures
délire *s.m.* delirium, madness
démarche *s.f.* step
    faire une — auprès de qqun. approach someone for a favor
démarrer *v.* start (a car), take off
démêler *v.* disentangle
dément (-e) *adj.* crazy, mad
démesurément *adv.* inordinately, excessively
demeurant living
    au — *adv.* after all, all the same
démontrer *v.* demonstrate

dénuement *s.m.* deprivation, destitution
dépasser *v.* pass by, go beyond
dépaysement *s.m.* removal from usual surroundings, disorientation, strangeness
dépenser *v.* spend
dépeupler *v.* depopulate
déployer *v.* unfold, show, display
déposer *v.* put down; register
dépôt *s.m.* deposit
    en — in trust
dériver *v.* drift
dérouillée *s.f.* polish
    flanquer une — (*vulg.*) beat up on
dérouler *v.* unroll
    (se) — *v.r.* unfold, develop
dès *prep.* as early as
    — que *conj.* as soon as
désaccordé (-e) *adj.* out of tune
désapprendre *v.* unlearn, forget
désarroi *s.m.* disarray, disorder, confusion
désemparé (-e) *adj.* helpless, in distress, in great trouble
désespérer *v.* despair; drive to despair
désespoir *s.m.* despair
désintéressé (-e) *adj.* generous, disinterested
désintéressement *s.m.* generosity
désinvolture *s.f.* ease of manner
(se) désoler *v.* grief
désordonné (-e) *adj.* disorderly
désorienter *v.* disconcert, bewilder
désormais *adv.* hereafter, henceforth
(se) déssecher *v.* dry up
dessin *s.m.* design
dessus *adv.* above
    au— de *prep.* above
détendu (-e) *adj.* relaxed
détourner *v.* turn away

devancer v. precede; forestall

deviner v. guess

devise s.f. motto

dévot (-e) adj. religious, pious

diable! excl. the devil!

différer v. defer, postpone; differ

digne (-) adj. worthy

digue s.f. dike, dam

diminuer v. diminish

diriger v. direct

disgracié (-e) adj. ill-favored, uncouth

disparu s.m. missing person, dear departed

dissimuler v. dissimulate, pretend

distrait (-e) adj. inattentive, absent-minded

doigt s.m. finger

domestique s.m. domestic, servant

dominer v. rule, hold sway; (fam.) lord it over everyone

dommage s.m. damage, injury, harm

dompteur s.m. tamer (of wild animals)

don s.m. gift, talent

doré (-e) adj. golden

doué (-e) adj. gifted

douleur s.f. pain, sorrow

douleureux (-se) adj. painful, aching

douter v. doubt

(se) — de v.r. suspect

drap s.m. bed sheet

droit (-e) adj. right, upright

droit s.m. right

dunette s.f. poop deck

dureté s.f. hardness

E

ébouriffer v. dishevel, rumple; à la p. 112, flurry

écart s.m. divergence, delinquency

à l'— adv. apart

échafaudage s.m. scaffolding

échapper v. escape

échec s.m. failure

échelle s.f. ladder, scale

échine s.f. spine

échouer v. fail

éclairer v. enlighten, give light to

éclat s.m. brilliance, vividness

éclater v. burst

écoeurer v. disgust, nauseate

écorner v. break, chip

écouter v. listen to

écriture s.f. Holy Scripture

écrivain s.m. writer, author

(s')écrouler v. collapse, fall to pieces

écu s.m. piece of money (arch.)

écumer v. foam, froth

effacement s.m. fading, blotting out

efficace (-) adj. efficient, effective

(s')efforcer v.r. make an effort, endeavor

effronté (-e) adj. brazen, shameless

égal s.m. equal

égard s.m. respect, consideration

à l'— de prep. concerning

égarer v. lead astray

(s')— v.r. go astray

les yeux égarés wild eyes

élan s.m. impulse

(s')élancer v.r. spring, dash forward

élire v. elect

éloge s.m. praise

(s')éloigner (de) v.r. move away, withdraw

élu(p.p. élire) s.m. chosen, elect

embaumé (-e) adj. embalmed

emboîter v. fit in

— le pas fall into step

embouché (-e), mal — adj. foulmouthed

emmener v. lead (someone) away

empêcher *v.* prevent, impede
emplir *v.* fill
empoisonner *v.* poison
emporter *v.* carry away
encaissé (-e) *adj.* encased, embanked, sunk
   vallée — deep, narrow valley
encaustique *s.f.* polish, wax
encens *s.m.* incense
encombrer *v.* encumber
endroit *s.m.* place
(s')énerver *v.r.* become irritable
enfermer *v.* enclose
engager *v.* obligate
engourdir *v.* dull, benumb
enlever *v.* take, carry away
ennuyer *v.* bore, annoy
énoncé *s.m.* declaration
enseigne *s.f.* sign (over a shop)
ensemble *s.m.* whole, entirety
entamer *v.* begin, cut into, do injury to
enterrer *v.* bury
entourage *s.m.* associates, circle of friends, set
entraîner *v.* drag, carry along
entraînement *s.m.* training
entraver *v.* shackle, hinder
   — la circulation block traffic
entre-sol *s.m.* mezzanine
entretenir *v.* maintain
entretien *s.m.* conversation
envahir *v.* invade
envers *prep.* toward
(s')envoler *v.* fly away
envolée *s.f.* flight; *à la p. 59,* of oratory
(s')épaissir *v.r.* thicken
(s')épanouir *v.r.* open out, blossom
épargnèr *v.* spare
épice *s.f.* spice
époque *s.f.* period of time
   à l'— at that time

épreuve *s.f.* proof, test
éprouver *v.* test, experience
épuiser *v.* exhaust
ère *s.f.* era, epoch
errer *v.* wander
esclavage *s.m.* slavery
esclave *s.m./f.* slave
escompter *v.* discount
espagnol (-e) *adj.* + *s.m./f.* Spanish
essuyer *v.* wipe
établir *v.* establish
(s')étaler *v.r.* stretch out, sprawl
étape *s.f.* stage (of a journey), step
éteindre *v.* extinguish, put out
étendre *v.* spread out, stretch out
(s')étirer *v.r.* stretch
étoffe *s.f.* stuff, material
étonner *v.* astonish
étouffer *v.* smother
étourdir *v.* stun, daze
étranger *s.m.* stranger
étreinte *s.f.* embrace
étriper *v.* eviscerate
évaluer *v.* evaluate
éveil *s.m.* awakening
événement *s.m.* event, happening, occurrence
évêque *s.m.* bishop
(s')évertuer *v.r.* exert oneself
éviter *v.* avoid
(s')exécuter *v.r.* comply, carry out
exemplaire (-) *adj.* exemplary
(s')exercer *v.r.* practice
exiger *v.* require
expier *v.* expiate, atone
exprimer *v.* express
exténuant (-e) *adj.* extenuating; exhausting

F

fâcheux (-se) *adj.* unfortunate
faculté *s.f.* faculty, ability, power

faiblesse *s.f.* weakness

fait *s.m.* act, deed, fact

famé (-e) *adj.* famed. reputed
  mal — (-e) ill-famed; of evil repute

faraud *s.m.* fop, affected man

farouche (-) *adj.* fierce, wild; timid, unsociable

fauve *s.m.* wild animal

faux (-sse) *adj.* false

faux-fuyant *s.m.* subterfuge

fécond (-e) *adj.* fruitful, fertile

fée *s.f.* fairy
  conte de — fairy tale

fer *s.m.* iron

fermeté *s.f.* firmness

féroce (-) *adj.* savage, ferocious

fêter *v.* celebrate

feuille *s.f.* leaf

feu *s.m.* fire
  — rouge red traffic light
  — vert green light

fiançailles *s.f. pl.* engagement, betrothal

(se) fier à *v.r.* trust

fier (-ère) *adj.* proud

fierté *s.f.* pride

fièvre *s.f.* fever

figer *v.* congeal, fix, solidify

figurant (-e) *s.m./f.* supernumerary, actor in a walk-on part

figurer *v.* imagine

fil *s.m.* thread

file *s.f.* line, file

filer *v.* run, slip by

filet *s.m.* net
  — à bagages luggage rack

flairer *v.* sniff

flamber *v.* flame

flatteur (-se) *adj.* flattering

flèche *s.f.* arrow; shaft of satire

fleuve *s.m.* river

flocon *s.m.* flake
  — de neige snowflake

flot *s.m.* wave

flotter *v.* float

foi *s.f.* faith

foie *s.m.* liver

fonctionnaire *s.m.* official

fond *s.m.* depth
  au — fundamentally

fonder *v.* found, establish

fondre *v.* melt, dissolve; pounce, swoop down upon, prey

forban *s.m.* pirate

forcément *adv.* of necessity

forniquer *v.* fornicate

fouet *s.m.* whip

fouetter *v.* whip

fougue *s.f.* fire, ardor, spirit, passion

fouiller *v.* search

fouler *v.* crush, trample

fourmi *s.f.* ant

fournir *v.* furnish

fracasser *v.* shatter, smash

franc (-che) *adj.* frank, direct

franchir *v.* jump over, get through, pass over

franquiste (-) *adj.* follower of Gen. Francisco Franco

frappant (-e) *adj.* striking

frein *s.m.* curb, restraint

frénétique (-) *adj.* frantic, frenzied

frétiller *v.* quiver, wriggle

fripon *s.m.* rogue, rascal

frissonner *v.* shudder, shiver

front *s.m.* front
  avoir le — de have the nerve to

frotter *v.* rub

froussard (-e) *adj.* cowardly

froussard *s.m.* (*fam.*) coward

fugace (-) *adj.* fleeting

fuir *v.* flee

fulminer *v.* thunder forth, fulminate

fumer *v.* smoke
funèbre (-) *adj.* funereal
funérailles *s.f. pl.* funeral services
fureur *s.f.* fury
fusiller *v.* shoot, execute

G

gagner *v. tr.* earn, gain; reach
gale *s.f.* itch, mange
garde-fou *s.m.* parapet, guardrail
garnir *v.* strengthen; furnish, provide
gâter *v.* spoil, damage
gémir *v.* groan, moan, wail
gêner *v.* inconvenience, disturb
genièvre *s.m.* gin
geôlier *s.m.* jailer
gifler *v.* slap (in the face)
glace *s.f.* ice
goéland *s.m.* seagull
gorille *s.m.* gorilla
gouffre *s.m.* gulf, pit, abyss
goulet *s.m.* gully
goûter *v.* taste
grâce *s.f.* grace; thanks
    — à thanks to, owing to
grandeur *s.f.* size, majesty, splendor
grandir *v.* grow, increase
gras (-se) *adj.* fat, greasy, oily
gratuitement *adv.* free of charge, gratuitously
grec (-que) *adj.* + *s.m./f.* Greek
grenier *s.m.* attic
grève *s.f.* shore, beach, sand
grief *s.m.* grievance, ground for complaint
    faire — à qqun. de qq. chose harbor resentment against
grimper *v.* climb up, clamber up
grincer *v.* grate, grind, creak
grisâtre (-) *adj.* grayish

griser *v.* to make someone tipsy, intoxicate
grognement *s.m.* grunt, growl
gronder *v.* scold
grossièrement *adv.* coarsely, uncouthly
grouiller *v.* crawl, swarm, be alive with
guère *adv.* hardly
guérir *v.* cure
guerre *s.f.* war
guerrier *s.m.* warrior
guetter *v.* lie in wait for, be on the lookout for
gueule *s.f.* mouth (of an animal)
gueuleton *s.m.* blow out; *(fam.)* banquet
guidon *s.m.* handlebar
guindé (-e) *adj.* stiff, strained, unnatural

H

habitué *s.m.* frequenter, regular attendant
haine *s.f.* hatred
haleine *s.f.* breath
haleter *v.* pant, gasp
hantise *s.f.* obsession, haunting memory
hareng *s.m.* herring
hasard *s.m.* chance, luck, accident
    au — at random
(se) hâter *v.r.* hasten, hurry
hâtif (-ve) *adj.* hasty, hurried, ill-considered
hausser *v.* raise, lift
hautain (-e) *adj.* proud, haughty, lofty
havre *s.m.* harbor, haven, port
hebdomadaire *s.m.* weekly (paper, magazine)
hochement *s.m.* shaking, tossing
hocher *v.* shake, toss, nod

hommage *s.m.* homage
—**s** respects, compliments
honnête (-) *adj.* honest, honorable, upright
honte *s.f.* shame
hors *adv.* outside
— **de** *prep.* out of, outside of
hurler *v.* howl, roar

I

idiot (-e) *adj.* idiotic, senseless, silly
île *s.f.* island
imbattable (-) *adj.* invincible, unbeatable
immaculé (-e) *adj.* immaculate, spotless
immeuble *s.m.* building, realty, property
immuable (-) *adj.* immutable, unalterable, fixed
importun (-e) *adj.* obtrusive, bothersome
imprécation *s.f.* curse
imprévisible (-) *adj.* unforeseeable
imprévu (-e) *adj.* unforeseen, unexpected
impunément *adv.* with impunity
incartade *s.f.* verbal attack, outburst
incendier *v.* set on fire
incolore (-) *adj.* colorless
induire *v.* induce, infer
— **en erreur** mislead, delude
infame (-) *adj.* infamous, foul, unspeakable
infatigable (-) *adj.* indefatigable, tireless
ingénieur *s.m.* engineer
ingrat (-e) *adj.* ungrateful, disagreeable
inimitié *s.f.* enmity, hostility, unfriendliness

inlassablement *adv.* tirelessly
inquiet (-ète) *adj.* restless, anxious, worried
inquiéter *v.* trouble, disturb, worry
insuffisance *s.f.* deficiency
interdire *v.* forbid
intéresser *v.* interest
(s')— **à** take an interest in
intérêt *s.m.* interest, profit
interlocuteur *s.m.* interlocutor, speaker
interpeller *v.* call upon, challenge
irréductible (-) *adj.* irreducible, indomitable
irriguer *v.* irrigate, spray
isolement *s.m.* isolation, loneliness
issue *s.f.* issue, end, conclusion, exit
ivre (-) *adj.* drunk
ivrogne *s.m.* drunkard

J

jalousie *s.f.* jealousy
jaloux (-se) *adj.* jealous
javanais (-e) *adj.* + *s.m./f.* Javanese
jeu *s.m.* game
— **de mots** play on words
jouir (de) *v.* enjoy
jouissance *s.f.* enjoyment
jour *s.m.* day
au — **le** — *adv.* from day to day
jucher *v.* perch
juge *s.m.* judge
juif (-ve) *adj.* Jewish
juif *s.m.* Jew
jurer *v.* swear
juridique (-) *adj.* judicial, legol
justement *adv.* justly, precisely
justesse *s.f.* exactness, precision
justicier *s.m.* administrator of justice, judge

L

lâcher *v.* loosen, let go
lâcheté *s.f.* cowardice
lampadaire *s.m.* floor lamp, street lamp
langouste *s.f.* lobster
languir *v.* languish
lapsus *s.m.* slip, mistake, lapse
large (-) *adj.* wide, broad
   au — on the open sea
larme *s.f.* tear, teardrop
las (-se) *adj.* weary
lasser *v.* weary, tire
   (se) — become tired
lecteur *s.m.* reader
léger (-ère) *adj.* light, frivolous
lendemain *s.m.* next day
lenteur *s.f.* slowness
léser *v.* wrong, injure
lessivage *s.m.* washing
lessive *s.f.* wash
libertaire (-) *adj.* libertarian, freedom-loving
lien *s.m.* tie, bond
lier *v.* bind, fasten, connect
limbes *s.m. pl.* limbo
linceul *s.m.* shroud
linge *s.m.* linen, underclothing
lis (-se) *adj.* smooth
livrer *v.* deliver, surrender
locataire *s.m.* tenant
loge *s.f.* quarters
   — du concierge caretaker's apartment
lointain (-e) *adj.* distant, remote
loisir *s.m.* leisure
lorgnon *s.m.* eyeglasses, lorgnette
louange *s.f.* praise
louche (-) *adj.* crosseyed, shady, suspicious
loyauté *s.f.* loyalty
lueur *s.f.* gleam, light
luire *v.* shine, gleam
lutter *v.* battle, struggle, wrestle
luxe *s.m.* luxury
luxure *s.f.* lewdness, lechery, lust

M

macérer *v.* soak
maçonner *v.* build, face with stone
maintenir *v.* maintain
maîtrise *s.f.* mastery
malaise *s.m.* uneasiness, discomfort
malgré *prep.* in spite of, notwithstanding
malheur *s.m.* misfortune, unhappiness
malignité *s.f.* spitefulness
manche *s.f.* sleeve
   La Manche English Channel
manquer *v.* lack
maquiller *v.* make up (one's face)
marchand *s.m.* merchant
marin *s.m.* sailor
marquant (-e) *adj.* prominent, outstanding
mastiquer *v.* chew
matelot *s.m.* sailor
maudire *v.* curse
méchanceté *s.f.* wickedness, malice
méfiance *s.f.* distrust
(se) méfier *v.r.* distrust
mêlée *s.f.* conflict, fray, melee
mêler *v.* mix, mingle
même (-) *adj.* same
   être à — de *adv.* be capable of
mendiant *s.m.* beggar
mensonge *s.m.* lie
menthe *s.f.* mint
mépriser *v.* despise, scorn
mer *s.f.* sea
Messie *s.m.* Messiah
métier *s.m.* trade, job, occupation
métro (chemin de fer métropolitain) *s.m.* Paris subway

meurtre *s.m.* murder
milicien *s.m.* militiaman
militer *v.* go to war, militate
millier *s.m.* thousand
mine *s.f.* appearance, look
miroir *s.m.* mirror
misère *s.f.* misery, trouble, ill
misogynie *s.f.* misogyny
mobile *s.m.* driving power, motive
moeurs *s.f. pl.* mores, customs, manners
moisir *v.* mildew, make moldy
moitié *s.f.* half
mollet *s.m.* calf (of leg)
mondain (-e) *adj.* worldly
mondial (-e) *adj.* world
  guerre — world war
morne (-) *adj.* gloomy, dull, dreary
mort *s.f.* death
moscovite (-) *adj.* Muscovite
mot *s.m.* word
  gros — obscenity
mou (mol, -le) *adj.* soft, flabby
mouche *s.f.* fly
mouiller *v.* wet
moyen *s.m.* means, way
muet (-te) *adj.* silent, dumb
mûr (-e) *adj.* ripe, mature
mutiler *v.* mutilate, maim
mutisme *s.m.* muteness, dumbness
mythomanie *s.f.* mythomania, pathological lying

N

nageur *s.m.* swimmer
naïf (-ve) *adj.* naïve, ingenuous
naissance *s.f.* birth
navire *s.m.* ship, vessel
navré (-e) *adj.* broken-hearted
néant *s.m.* nothingness
neigeux (-se) *adj.* snowy
net (-te) *adj.* clean, clear
  (s')arrêter — stop short

nettoyer *v.* clean
nez *s.m.* nose
  se casser le — fall flat
nicher *v.* *(fam.)* live, dwell
nier *v.* deny
nourrir *v.* nourish
nourrisson *s.m.* infant, nursling
noyer *v.* drown
nu (-e) *adj.* naked
nuée *s.f.* large cloud
nuire *v.* harm
nul (-le) *adj.* no
numéro *s.m.* number
nuque *s.f.* nape

O

obéir *v.* obey
(s')obstiner *v.r.* persist in
occidental (-e) *adj.* western
(s')occuper de *v.* be engaged in, be busy with, attend to
occurrence *s.f.* event
  en l'— under the circumstances
oeuvre *s.f.* work
  chef d'— *s.m.* masterpiece
ombrageux (-se) *adj.* shy, easily offended
ongle *s.m.* (finger)nail
opprimer *v.* oppress
ordonnateur *s.m.* director, arranger
orfèvre *s.m.* goldsmith
orgueil *s.m.* pride
orner *v.* adorn, decorate
orphelin *s.m.* orphan
orthoptère *s.m.* orthoptera, species of insects including grasshoppers and locusts
os *s.m.* bone
oser *v.* dare
otage *s.m.* hostage
ôter *v.* remove, take away
ours *s.m.* bear

outre *prep.* beyond, beside, in addition to
ouverture *s.f.* opening
— **d'esprit** readiness of mind
ouvrier *s.m.* workman, worker

P

paisiblement *adv.* peacefully
palmier *s.m.* palm tree
paludisme *s.m.* malaria, swamp fever
panneau *s.m.* panel
pantois (-e) *adj.* (*fam.*) aghast
pantoufle *s.f.* slipper, house shoe
pape *s.m.* pope
paraître *v.* appear
parcourir *v.* travel through, cover (a distance)
pardessus *s.m.* overcoat
pareil (-le) *adj.* similar
paresse *s.f.* laziness
parfois *adv.* sometimes, at times
parmi *prep.* among
parole *s.f.* (spoken) word, utterance, remark
partager *v.* share
parti *s.m.* party; course of action
prendre le — make a decision
le — **pris** prejudice, bias
parvenir *v.* arrive, succeed
pas *s.m.* step
passager (-ère) *adj.* passing, fleeting
passant *s.m.* passer-by
passionnant (-e) *adj.* entrancing, thrilling
patron *s.m.* (*fam.*) boss
pavé *s.m.* pavement
— **gras** slippery pavement
paysage *s.m.* landscape
paysan *s.m.* peasant
pêche *s.f.* fishing
péché *s.m.* sin

pécheur (-eresse) *s.m./f.* sinner
pédéraste *s.m.* pederast, homosexual
(se)peigner *v.r.* comb one's hair
peine *s.f.* pain, trouble, penalty
à — hardly
peinture *s.f.* painting
pencher *v.* lean
pénible (-) *adj.* painful
péniche *s.f.* barge
pensionnaire *s.m./f.* boarder
pente *s.f.* slope, incline
— **de nature** inclination
percevoir *v.* perceive
perroquet *s.m.* parrot
pervers *s.m.* pervert
pesamment *adv.* heavily
peser *v.* weigh
peste *s.f.* (bubonic) plague
pétarader *v.* backfire
peuple *s.m.* nation
peupler *v.* populate
pharaon *s.m.* pharaoh
phénol *s.m.* carbolic acid
pianoter *v.* drum (with the fingers)
piétiner *v.* stamp
pignon *s.m.* gable
avoir — **sur rue** be a person of substance
pire (-) *adj.* worse
placard *s.m.* cupboard
plage *s.f.* beach
plaider *v.* plead, argue in court
plaidoirie *s.f.* pleading, counsel's speech
plaindre *v.* pity
(se) — **de** *v.r.* complain
plaire *v.* please, be attractive to
plaisanter *v.* joke
planer *v.* soar
plat (-e) *adj.* flat
plénitude *s.f.* fullness, plenitude
pleurer *v.* weep, cry

pleutrerie *s.f.* ill-breeding
plier *v.* bend
plomb *s.m.* lead
plongeon *s.m.* dive
plupart *s.f.* majority, greater part
pneumatique *s.m.* (automobile) tire
poids *s.m.* weight
poignée *s.f.* handful
— **de main** handshake
poil *s.m.* (body) hair, fur
pointe *s.f.* point
— **d'admiration** a hint of admiration
pois *s.m.* pea
—**chiches** chick peas
poitrine *s.f.* chest, breast
pont *s.m.* bridge
popeline *s.f.* poplin, corded fabric of silk or worsted
porche *s.m.* portico, porch
porte-parole *s.m.* spokesman
poste *s.m.* post office
pot-de-vin *s.m.* bribe
poulet *s.m.* chicken
poumon *s.m.* lung
poupée *s.f.* doll
pourrir *v.* rot
poursuivre *v.* pursue
poussière *s.f.* dust
poussif (-ve) *adj.* (*fam.*) wheezy
pouvoir *s.m.* power
prêcher *v.* preach
(se) précipiter *v.* rush forward
prédication *s.f.* sermon, preaching
préoccuper *v.* preoccupy, engross
pressé (-e) *adj.* hurried, urgent
preuve *s.f.* proof
prévenir *v.* warn, forestall
prévoir *v.* foresee
printemps *s.m.* springtime
(se) priver de *v.* deprive oneself of
procès *s.m.* lawsuit
prochain *s.m.* neighbor

profondeur *s.f.* depth
promeneur *s.m.* walker, pedestrian
promettre *v.* promise
propos *s.m.* remark
proscrire *v.* proscribe
provisoire (-) *adj.* provisional, temporary
puer *v.* stink
puiser *v.* draw from, derive
puissance *s.f.* power
pulluler *v.* pullulate, multiply rapidly, swarm
putain *s.f.* whore

Q

quandragénaire *s.m.* forty-year-old
quai *s.m.* wharf, quai
quant à *prep.* as for
quartier *s.m.* district (of a city)
querelle *s.f.* quarrel
quiconque *indef. pron.* whoever
quitte (-) *adj.* free, quit
— **à** *adv.* even if
quotidien (-ne) *adj.* daily

R

raclée *s.f.* beating, dressing down
raffiné (-e) *adj.* refined
rafraîchi (-e) *adj.* refreshed
rage *s.f.* madness, fury
faire — be all the rage
raide (-) *adj.* stiff
railler *v.* laugh at, jeer at
raillerie *s.f.* banter, raillery
raisonnement *s.m.* reasoning
ralentir *v.* slow down, relent
ramasser *v.* pick up
ramener *v.* bring back
rancune *s.f.* rancor, spite
rangée *s.f.* row, line
ranger *v.* tidy, put in place

raréfier *v.* make scarce
  (se) — *v.r.* become scarce
ras (-e) *adj.* close-shaven, smooth
  au — de *prep.* on a level with
rase-mottes, faire du — *s.m. pl.*
  skim the ground
rasoir *s.m.* razor
rassasié (-e) *adj.* satisfied, satiated
rater *v.* misfire, fail
rattraper *v.* recapture
ravageuse *s.f.* ravager, ravaging
  woman
ravi (-e) *adj.* delighted
réagir *v.* react
recéler *v.* conceal
récemment *adv.* recently
recensement *s.m.* census
recette *s.f.* recipe
rechercher *v.* seek out, hunt for
rechigner *v.* look sour, sullen
récit *s.m.* narrative, account
réclamer *v.* complain, demand
reconnaissance *s.f.* gratitude
reconnaître *v.* recognize
recueillir *v.* collect, gather
reculer *v.* retreat, recoil
rédacteur *s.m.* editor
  — en chef editor-in-chief
redresser *v.* set upright again
  (se) — *v.r.* straighten up
(se) réfugier *v.r.* take refuge
refus *s.m.* refusal
regagner *v.* regain, reach (a place)
  again
regimber *v.* balk
régler *v.* regulate, settle
régner *v.* reign, rule
rejoindre *v.* join, get to (a place)
réjouir *v.* delight, gladden, cheer
relancer *v.* throw again; *à la p. 37,*
  go in pursuit of
religieuse *s.f.* nun
reluire *v.* shine
remerciement *s.m.* thanks

remettre *v.* put back, postpone
  (s')en remettre à *v.r.* fall back
  on
remontant *s.m.* tonic
remuer *v.* move
renchérir *v.* raise the price of, go
  further, outbid
rendement *s.m.* yield
renier *v.* deny
renifler *v.* sniff
renouer *v.* resume intimacy
renouveler *v.* renew
repêcher *v.* fish out
repère *s.m.* guide mark, reference
  mark
repérer *v.* mark with guide marks
reportage *s.m.* reporting (journ.)
repos *s.m.* rest
représailles *s.f. pl.* reprisal
requinqué (-e) *adj.* recovered,
  perked up
réquisitoire *s.m.* indictment
ressentir *v.* feel emotion, resent
resserrer *v.* tighten again
ressort *s.m.* elasticity, spring
résumer *v.* summarize
retable *s.m.* altarpiece, retable
retentir *v.* resound, echo
retenue *s.f.* restraint
retirer *v.* draw out
  se — retire, withdraw
retraite *s.f.* retreat
retrancher *v.* cut off
réussite *s.f.* success
revanche *s.f.* revenge
  en — in return, in compensation
révéler *v.* reveal, show
revers *s.m.* reverse side
rêveusement *adv.* dreamily
révolu (-e) *adj.* completed
rhabiller dress again, mend
  va te — *(vulg.)* "get lost!"
rideau *s.m.* curtain
rieur *s.m.* one who laughs, laugher

rigueur *s.f.* harsh judgment, severity
rire *v.* laugh
rire *s.m.* laugh
rivage *s.m.* bank, shore
rive *s.f.* bank, shore
rocheux (**-se**) *adj.* rocky
roman *s.m.* novel
romance *s.f.* sentimental song
romancier *s.m.* novelist
romanesque (-) *adj.* romantic, sentimental
romantique (-) *adj.* romantic (literary school)
rompre *v.* break
ronger *v.* gnaw, erode
royaume *s.m.* realm, kingdom
ruisselant (**-e**) *adj.* streaming
russe (-) *adj.* + *s.m./f.* Russian

S

sable *s.m.* sand
sabot *s.m.* wooden shoe
saducéen *s.m.* Sadducee
sage (-) *adj.* wise
sagouin *s.m.* squirrel monkey; dirty fellow
saigner *v.* bleed
saisissement *s.m.* seizure
salace (-) *adj.* salacious
salaire *s.m.* wages, reward
sale (-) *adj.* dirty
salut *s.m.* salvation
salutiste *s.f.* Salvation army lass
sauterelle *s.f.* grasshopper
savon *s.m.* soap
sec (**sèche**) *adj.* dry
secouer *v.* shake
secours *s.m.* help, aid
séduire *v.* seduce
seigneur *s.m.* lord
séjour *s.m.* sojourn, stay

sel *s.m.* salt
selon, *prep.* according to
semblable (-) *adj.* alike, similar
sentence *s.f.* judgment
serment *s.m.* oath
serrer *v.* clasp, wring (the heart); put away in a safe place
seuil *s.m.* threshold, doorstep
sévir *v.* treat rigorously, rage
singe *s.m.* monkey
singer *v.* ape, mimic
soigner *v.* take care of
sol *s.m.* ground; *à la p.* 36, floor
solidaire (-) *adj.* interdependent
sommet *s.m.* summit, top
songe *s.m.* dream
songer *v.* dream, think of, contemplate
sot (**-te**) *adj.* silly
soubresaut *s.m.* sudden start, leap
(**se**) **soucier de** *v.* concern oneself about
souffle *s.m.* breath
souffrance *s.f.* suffering
souffrir *v.* suffer
soulager *v.* ease, relieve
soulever *v.* lift, raise
souligner *v.* underline, emphasize
soumettre *v.* subdue
    se — *v.* submit
soupçon *s.m.* suspicion, distrust
soupirer *v.* sigh
sourd (**-e**) *adj.* deaf, dull
sourire *v.* smile
sournois (**-e**) *adj.* artful, sly, crafty
sous-entendu *s.m.* implication
soustrait (**-e**) *adj.* shielded from
soute *s.f.* storeroom
souteneur *s.m.* pimp
soutenir *v.* sustain, support
souterrain *s.m.* cavern, cave
squelette *s.m.* skeleton
stade *s.m.* stadium

stagiaire (-) *adj.* apprentice
subitement *adv.* suddenly
succédané *s.m.* substitute
sueur *s.f.* sweat
suffire *v.* suffice
supportable (-) *adj.* bearable, tolerable
supprimer *v.* suppress
surclasser *v.* outclass
sursauter *v.* start, jump
sursis *s.m.* reprieve
survenir *v.* supervene, happen, occur
survie *s.f.* survival
syndic *s.m.* public trustee in bankruptcy

T

tabac *s.m.* tobacco
tâche *s.f.* task
tâcher de *v.* try
(se) taire *v.r.* be silent
    faire — silence someone
tandis que *conj.* whereas, while
tapisserie *s.f.* tapestry
tarder *v.* delay
tartine *s.f.* slice of bread and butter
tas *s.m.* pile, heap
tel (-**le**) *adj.* such
    — ou so-and-so
témoigner *v.* bear witness
témoin *s.m.* witness
tempe *s.f.* temple (anat.)
tempête *s.f.* storm
ténèbres *s.f. pl.* darkness, shadows
tenir *v.* hold, hold out
    — debout stand up
tenter *v.* tempt
tenue *s.f.* decorum
    avoir de la — have good manners
tiède (-) *adj.* lukewarm

tiers *s.m.* third person
timbre *s.m.* bell
    tinter son — ring his bell
tirer *v.* pull, draw; shoot
    (se) — de get out of, extricate oneself from
tireur *s.m.* marksman
tonitruant (-**e**) *adj.* thundering
tordre *v.* twist
    (se) — de writhe
tort *s.m.* error
    avoir — be mistaken
tourmenter *v.* torment, torture
tourner *v.* turn
    qq. chose ne — pas rond something is wrong somewhere
tourneur *s.m.* turner
toutefois *adv.* nevertheless, however, still
trahir *v.* betray
train *s.m.* train; routine
traîner *v.* drag
traiter *v.* treat
trancher *v.* cut, slice
transi (-**e**) *adj.* chilled, numbed
traquer *v.* pursue, hunt down
trêve *s.f.* truce
    sans — unceasingly
tribu *s.f.* tribe
tricoter *v.* knit
trompe-l'oeil *s.m.* illusion, deceptive appearance
tromper *v.* deceive
    (se) — make a mistake
trompeur (-**se**) *adj.* deceitful, deceptive, misleading
trône *s.m.* throne
trôner *v.* sit on a throne
trop-plein *s.m.* overflow
trottoir *s.m.* sidewalk
trouvaille *s.f.* find, godsend
truquer *v.* (*fam.*) fake
tueur *s.m.* killer

U

usine *s.f.* factory
usure *s.f.* wear and tear

V

vague *s.f.* wave
vaincre *v.* conquer
valable (-) *adj.* valid
valoir *v.* be worth
  — **mieux** (*impersonal*) be better, preferable
  — **qq. chose à qqun.** bring in, yield
vantard (-e) *adj.* boastful
vanter *v.* boast about
veille *s.f.* day before, eve
velléitaire *s.m.* impulsive, erratic person
venger *v.* avenge
véniel (-le) *adj.* venial
ventre *s.m.* abdomen, belly
  avoir qq. chose dans le — (*fam.*) have "guts"
venue *s.f.* coming, arrival
ver *s.m.* worm
verge *s.f.* rod
vergogne *s.f.* shame
  sans — shamelessly

verni (-e) *adj.* varnished
verrou *s.m.* bolt
veuve *s.f.* widow
vide (-) *adj.* empty
vide *s.m.* emptiness, void
vieillir *v.* grow old
vif (-ve) *adj.* living, alive, vital
vilain (-e) *adj.* bad, nasty, unpleasant
violon d'Ingres *s.m.* hobby
virtualité *s.f.* virtuality
vitesse *s.f.* speed
vitre *s.f.* pane of glass
vitrine *s.f.* shop window
vivant (-e) *adj.* living
voeu *s.m.* vow, wish
voie *s.f.* way, road
voisin *s.m.* neighbor
vol *s.m.* theft
voler *v.* steal
voleur *s.m.* thief
volontiers, *adv.* willingly
volte-face *s.f.* about-face
voué (-e) *adj.* doomed
vouer *v.* vow, dedicate

Y

yeux *s.m. pl.* (**oeil** *s.m.*) eyes